ZION-BENTON PUBLIC LIBRARY DISTRICT
3 1126 00409 2066

ESPAÑOL
(Spanish)

P9-CQG-060

BUEN PROVECHO

Delicias al horno

Emma Patmore

Queen Street House
4 Queen Street
Bath BA1 1HE, RU

Concepción: Haldane Mason

Traducción del inglés: Montserrat Ribas
para Equipo de Edición. S.L. Barcelona
Redacción y maquetación:
Equipo de Edición. S.L. Barcelona

Impreso en China

ISBN: 1-40542-868-6

Nota

Una cucharada equivale a 15 ml. Si no se indica otra cosa, la leche será entera, los huevos, de tamaño medio (nº 3), y la pimienta, pimienta negra molida.

Sumario

Introducción

Este libro le enseñará todo lo que necesita saber para crear algunos de esos platos horneados que siempre le han encantado. También le animará a experimentar con algunos de los interesantes ingredientes que ahora se pueden encontrar en casi todos los grandes supermercados.

Las detalladas instrucciones guían a través de las técnicas que hay que dominar para preparar esos dulces clásicos que se han venido saboreando de generación en generación.

LOS GRANDES CLÁSICOS

Experimente el dulce placer de elegir entre la maravillosa selección de postres, cotidianos o para ocasiones especiales, que ofrece el capítulo primero, donde se incluyen suculentos e irresistibles postres como la *pavlova*, la tarta de frutas con cobertura crujiente, la reina de los pudines y exquisitos dulces con chocolate. Seguro que disfrutará toda la familia.

Este capítulo le ayudará a perfeccionar su habilidad con la repostería. Tendrá el éxito garantizado cuando prepare, por ejemplo, la tarta de melaza, la tarta Tatin, la tarta de albaricoque y arándanos, o la tarta de natillas al huevo.

PANES Y PASTAS SALADAS

Hornear el pan en casa es muy placentero y permite experimentar con todo tipo de ingredientes, como tomates secados al sol, ajo, mango y aceite de oliva, para crear originales, deliciosas e innovadoras variaciones de barras y hogazas de pan actuales, así como panecillos. El capítulo 2 muestra cómo dar nuevos toques a las tartas, empanadas y pastas tradicionales, como los bollos de queso y mostaza, el sabroso pudín de queso, la tarta de cebolla y las deliciosas mini tartaletas de queso y cebolla.

PLATOS VEGETARIANOS

El capítulo 3 contiene recetas vegetarianas llenas de deliciosos y saludables ingredientes, que resultan igual de exquisitas que las más tradicionales. Entre ellas encontrará la tarta de lentejas y pimiento rojo, la tarta de dátiles y orejones, el pastel de piña y la empanada de champiñones, que se elabora con nueces del Brasil.

PASTELES Y GALLETAS

Con las adaptaciones de entrañables recetas que encontrará en los capítulos 4 y 5, podrá transformar los pasteles y galletas tradicionales en un auténtico capricho para acompañar un café con leche o un té.

Hallará irresistibles recetas, y además rápidas y fáciles de hacer, como las del pastel de chocolate bicolor, el pastel de frutas secas al aceite de oliva, el pastel de jengibre y los merengues, así como otras deliciosas para galletas, como las de *brownies* con pepitas de chocolate y galletas de jengibre. Seguro que tendrán éxito entre todos los miembros de la familia.

CÓMO HACER PASTELES

En todas las recetas de pasteles se indican algunos principios básicos para elaborarlos que resultan de gran utilidad, pero siempre:

- Empiece por leer la receta completa.
- Pese con exactitud los ingredientes y realice la preparación básica, como rallar o picar, antes de empezar a cocinar.
- Los ingredientes básicos para la preparación de pasteles deberían utilizarse a temperatura ambiente.
- "Batir a punto de crema" es lo que se hace cuando se bate mantequilla con azúcar. La mezcla debe quedar prácticamente de color blanco y tener una consistencia suave. Se puede hacer a mano, pero si se utilizan unas varillas eléctricas se ahorra tiempo y esfuerzo.
- El proceso llamado "mezclar en seco" se realiza utilizando una cuchara metálica o una espátula, y trabajando con el máximo cuidado para mezclar bien la harina o los ingredientes secos, haciendo una figura en forma de ocho.
- No saque un pastel del horno hasta que no esté totalmente cocido. Para comprobar si lo está, presione ligeramente la superficie con los dedos: debería tener un tacto esponjoso. También puede insertar un pincho de cocina en la parte central, y si sale limpio es que está listo.
- Deje que los pasteles se entibien en el molde antes de pasarlos con cuidado a una rejilla metálica para que acaben de enfriarse.

CÓMO HACER TARTAS Y EMPANADAS

Al preparar tartas o empanadas, conviene seguir estos principios básicos:

- Tamice los ingredientes secos sobre un cuenco grande, añada la grasa cortada en dados y mézclela con la harina.
- Deshaga la grasa entre los dedos, poco a poco, hasta que la mezcla parezca pan rallado fino. Mientras trabaja, levante las manos para que la mezcla se airee al volver a caer en el cuenco.
- Ligue la pasta con agua muy fría o algún otro líquido, pero sólo el necesario para formar una pasta suave. Envuélvala y déjela en la nevera no menos de 1/2 hora.

Los grandes clásicos

Ninguna comida está completa sin un postre, y este capítulo ofrece una exquisita y saludable colección de algunas de las recetas más entrañables que existen. Con fruta, chocolate, limón o con alguna cobertura crujiente... todas son divertidas y fáciles de hacer, y absolutamente deliciosas. También se incluyen algunas sorprendentes ideas para remozar postres clásicos, de modo que la única dificultad residirá en decidirse entre cuál probar primero, si el pastel de ciruelas o las tartaletas de lima, por ejemplo.

La pasta tiene que ser siempre muy suave y deshacerse en la boca; en ello radica el secreto del éxito de cualquier pastel o tarta. Varias recetas de este capítulo incluyen la elaboración de pasta quebrada. Tenga presente que cuanto más suavemente la trabaje, más satisfactorio será el resultado.

En el recuadro de ingredientes de alguna receta aparece la especificación "pasta preparada". En esos casos, la pasta se puede elaborar en casa con antelación, pero también se considera que la que se vende en los supermercados, que es de muy buena calidad, es adecuada parar el horneado en cuestión y permite ahorrar tiempo en su preparación.

Pudín de Eva

Éste es un popular pudín, apreciado por toda la familia, que consiste en una base de manzana cubierta con un ligero bizcocho con sabor a mantequilla.

Para 6 personas

INGREDIENTES

- 450 g de manzanas para asar, peladas, sin corazón y cortadas en gajos
- 75 g de azúcar granulado
- 1 cucharada de zumo de limón
- 50 g de sultanas
- 75 g de mantequilla
- 75 g de azúcar lustre
- 1 huevo batido
- 150 g de harina de fuerza
- 3 cucharadas de leche
- 25 g de almendras fileteadas
- crema o nata líquida espesa, para servir

1 Engrase una fuente para el horno de 850 ml de capacidad.

2 En un cuenco, mezcle la manzana con el azúcar, el zumo de limón y las sultanas. Con una cuchara, vaya poniendo la mezcla de manzana en la fuente engrasada.

3 En un cuenco, bata la mantequilla con el azúcar a punto de crema. Poco a poco, vaya añadiendo el huevo.

4 Con cuidado, incorpore la harina, y después la leche, removiendo, hasta obtener una pasta de consistencia suave.

5 Extiéndala sobre la manzana y espolvoree con las almendras.

6 Cueza el pudín en el horno precalentado a 180 °C, durante 40-45 minutos, o hasta que el bizcocho esté dorado.

7 Sirva el pudín caliente, con crema o nata líquida espesa.

SUGERENCIA

Para potenciar el sabor a almendra, añada a la harina 25 g de almendra molida en el paso 4.

2

4

5

La reina de los pudines

He aquí una versión ligeramente diferente de este clásico, que con la adición de ralladura y mermelada de naranja adquiere un delicioso sabor cítrico.

Para 8 personas

INGREDIENTES

600 ml de leche
25 g de mantequilla
225 g de azúcar lustre
la ralladura fina de 1 naranja
4 huevos, con las yemas separadas de las claras
75 g de pan rallado
una pizca de sal
6 cucharadas de mermelada de naranja

1 Engrase una fuente para el horno de 1,5 litros de capacidad.

2 Para preparar la crema, caliente ligeramente en un cazo la leche con la mantequilla, 50 g de azúcar lustre y la ralladura de naranja.

3 Bata las yemas en un bol y, poco a poco, incorpórelas en el cazo, removiendo.

4 Agregue el pan rallado y vierta la crema en la fuente. Déjela reposar 15 minutos.

5 Cueza la crema en el horno precalentado a 180 °C, durante 20-25 minutos o hasta que haya cuajado. Retírela del horno pero no lo apague.

6 Para hacer el merengue, monte las claras a punto de nieve con una pizca de sal. Poco a poco, incorpore el resto del azúcar.

7 Extienda la mermelada de naranja sobre la crema. Ponga encima el merengue, procurando que llegue hasta los bordes de la fuente.

8 Vuelva a introducir el pudín en el horno y cuézalo otros 20 minutos, hasta que el merengue esté crujiente y dorado.

SUGERENCIA

Si prefiere un merengue más crujiente, deje el pudín en el horno 5 minutos más.

3

6

7

Pudín de pan y mantequilla

Éste es un pudín tradicional, lleno de fruta y especias. Es una manera estupenda de aprovechar el pan que haya sobrado.

Para 6 personas

INGREDIENTES

200 g de pan de molde blanco
50 g de mantequilla ablandada
25 g de sultanas
25 g de mezcla de piel de cítricos confitada
600 ml de leche
4 yemas de huevos
75 g de azúcar lustre
1/2 cucharadita de una mezcla de especias dulces molidas

1 Engrase una fuente para el horno de 1,2 litros de capacidad.

2 Elimine la corteza de las rebanadas de pan, úntelas con mantequilla y córtelas en cuartos.

3 Coloque la mitad de las rebanadas sobre la base de la fuente. Espolvoree con la mitad de las sultanas y de la piel de cítricos.

4 Cúbralo con el resto de las rebanadas de pan, y después espolvoree con la otra mitad de la fruta.

5 Para hacer las natillas, caliente la leche en un cazo hasta que casi hierva. Bata las yemas con el azúcar en un bol y viértalo en el cazo. Mezcle bien.

6 Pase la crema por un colador y viértala sobre la preparación de pan y fruta confitada.

7 Déjelo reposar 30 minutos, y a continuación espolvoréelo con la mezcla de especias.

8 Ponga la fuente dentro de una bandeja para asados medio llena de agua caliente.

9 Cueza el pudín en el horno precalentado a 200 °C, durante 40-45 minutos o hasta que haya cuajado. Sírvalo caliente.

SUGERENCIA

Puede preparar el pudín con antelación hasta el paso 7, y no hornearlo hasta antes de servirlo.

2

5

6

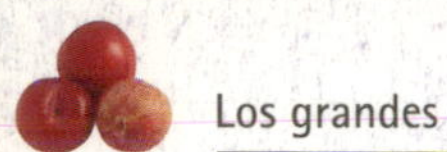

Pastel de ciruelas

Este postre clásico se puede elaborar también con algún otro tipo de fruta.

Para 6 personas

INGREDIENTES

1 kg de ciruelas, deshuesadas y cortadas en gajos
100 g de azúcar lustre
1 cucharada de zumo de limón
250 g de harina
75 g de azúcar granulado
2 cucharaditas de levadura en polvo
1 huevo batido
150 ml de suero de leche
75 g de mantequilla, ablandada y enfriada
nata líquida espesa, para servir

1 Engrase ligeramente una fuente para el horno de 2 litros de capacidad.

2 En un cuenco grande, mezcle las ciruelas con el azúcar lustre, el zumo de limón y 25 g de harina.

3 Disponga la preparación de ciruelas en la base de la fuente engrasada.

4 Mezcle el resto de la harina con el azúcar granulado y la levadura en polvo.

5 Incorpore el huevo batido, el suero de leche y la mantequilla. Mézclelo todo bien, hasta formar una pasta homogénea.

6 Coloque cucharadas de pasta sobre la fruta, hasta casi cubrirla.

7 Cueza el pastel en el horno precalentado a 190 °C, unos 35-40 minutos, hasta que esté dorado y se formen burbujas.

8 Sírvalo bien caliente, acompañado con nata espesa.

SUGERENCIA

Si no encuentra suero de leche, sustitúyalo por crema agria.

3

5

6

Pudín de moras

Se recomienda preparar este delicioso postre cuando abundan las moras silvestres. Si no las encuentra, utilice alguna otra fruta del bosque, como grosellas o arándanos.

Para 4 personas

INGREDIENTES

450 g de moras
75 g de azúcar lustre
1 huevo
75 g de azúcar moreno fino
75 g de mantequilla derretida
8 cucharadas de leche
125 g de harina de fuerza

1 Engrase ligeramente una fuente para el horno de 850 ml de capacidad.

2 En un cuenco grande, mezcle las moras con el azúcar lustre, con cuidado para que las moras no se deshagan.

3 Disponga la mezcla de moras y azúcar en la fuente engrasada.

4 En un bol aparte, bata el huevo junto con el azúcar moreno. Incorpore la mantequilla fundida y la leche.

5 Tamice la harina sobre la mezcla anterior, y remueva ligeramente hasta formar una pasta suave.

6 Con cuidado, extienda la pasta sobre las moras en la fuente para el horno.

7 Cueza el pudín en el horno precalentado a 180 °C, unos 25-30 minutos, hasta que la parte superior esté firme y dorada.

8 Espolvoree el pudín con un poco de azúcar y sírvalo caliente.

VARIACIÓN

Si quiere darle al pudín un toque de sabor a chocolate, añada 2 cucharadas de cacao en polvo a la pasta en el paso 5.

3

5

6

Pastel de mantequilla con frambuesas

En este exquisito postre veraniego, dos redondeles de pasta encierran una mezcla de frambuesas frescas y nata ligeramente montada.

Para 8 personas

INGREDIENTES

175 g de harina de fuerza
100 g de mantequilla cortada en dados
75 g de azúcar lustre
1 yema de huevo
1 cucharada de agua de rosas
600 ml de nata ligeramente montada
225 g de frambuesas, y algunas más para decorar

PARA DECORAR:
azúcar glasé
hojas de menta

1 Engrase ligeramente 2 bandejas para el horno.

2 Para hacer la pasta, tamice la harina en un cuenco.

3 Con las manos, mezcle la mantequilla con la harina, hasta obtener una consistencia de pan rallado.

4 Añada el azúcar, la yema de huevo y el agua de rosas, y amase hasta formar una pasta suave. Divídala en 2 partes.

5 Extienda cada parte de pasta en un redondel de 20 cm y colóquelos sobre una bandeja cada uno. Presione los bordes a intervalos para formar una cenefa.

6 Cueza los redondeles en el horno precalentado a 190 °C, unos 15 minutos, hasta que estén ligeramente dorados. Deje que se enfríen sobre una rejilla metálica.

7 Mezcle la nata con las frambuesas y extiéndala sobre uno de los redondeles. Cúbrala con el otro redondel, espolvoree con un poco de azúcar glasé y decore el pastel con frambuesas y unas hojas de menta.

SUGERENCIA

Puede hornear la pasta unos días antes y guardarla en un recipiente hermético hasta que la necesite.

3

4

5

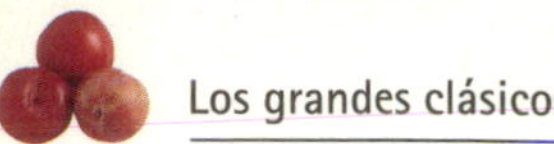

Pavlova

Este delicioso postre es de origen australiano. Prepárelo con frutas ácidas para contrarrestar el dulzor del merengue.

Para 6 personas

INGREDIENTES

3 claras de huevo
una pizca de sal
175 g de azúcar lustre
300 ml de nata líquida espesa, ligeramente montada
fruta fresca de su elección (frambuesas, fresas, melocotón, granadilla, grosellas sudafricanas...)

1 Engrase con mantequilla una bandeja para el horno y fórrela con papel de vegetal.

2 En un cuenco, bata las claras de huevo a punto de nieve, con un poco de sal.

3 Vaya incorporando poco a poco todo el azúcar, removiendo bien tras cada adición para que no se formen grumos.

4 Con una cuchara, coloque $^3/_4$ partes del merengue sobre la hoja de papel vegetal y forme un redondel de 20 cm.

5 Ponga cucharadas del resto del merengue alrededor del borde, una junto a otra, para que formen una especie de nido.

6 Cueza el merengue en el horno precalentado a 140 °C, durante $1^1/_4$ hora.

7 Apague el fuego pero déjelo en el horno hasta que se haya enfriado del todo.

8 Disponga la *pavlova* en una fuente para servir. Úntela con un poco de nata montada y coloque la fruta encima.

SUGERENCIA

Sería una buena idea preparar el merengue a última hora y dejarlo en el horno apagado toda la noche.

SUGERENCIA

Para conseguir un redondel bien delimitado, dibuje un círculo sobre el papel vegetal, y póngalo por esa cara sobre la bandeja. Así, el merengue quedará perfecto.

2

3

5

Pudín de chocolate

Estos pudines individuales resultan impresionantes como colofón de una buena comida.

Para 6 personas

INGREDIENTES

125 g de mantequilla ablandada
150 g de azúcar moreno fino
3 huevos batidos
una pizca de sal
25 g de cacao en polvo
125 g de harina de fuerza
25 g de chocolate negro, finamente picado
75 g de chocolate blanco, finamente picado

SALSA:
150 ml de nata líquida espesa
75 g de azúcar moreno fino
25 g de mantequilla

1 Engrase ligeramente 6 moldes individuales para pudín.

2 En un cuenco, bata la mantequilla con el azúcar a punto de crema. Incorpore el huevo poco a poco, batiendo bien tras cada adición.

3 Tamice la sal, el cacao en polvo y la harina sobre la mezcla y remueva bien. Añada el chocolate picado y remueva hasta formar una pasta homogénea.

4 Divida la mezcla entre los moldes. Engrase ligeramente 6 cuadrados de papel de aluminio y cubra con ellos los moldes. Presione alrededor de los bordes para cerrarlos herméticamente.

5 Coloque los moldes en una bandeja para asados y llénela con agua hirviendo hasta la mitad de la altura de los moldes.

6 Cueza los pudines en el horno precalentado a 180 °C unos 50 minutos, o hasta que al insertar un pincho de cocina salga limpio.

7 Retire los moldes de la bandeja y resérvelos.

8 Para hacer la salsa, ponga la nata líquida, el azúcar y la mantequilla en un cazo y llévelo lentamente a ebullición. Cuézalo a fuego suave hasta que el azúcar se haya disuelto.

9 Para servir los pudines, pase un cuchillo por los bordes de cada molde para desprenderlos y desmóldelos sobre platos individuales. Vierta la salsa por encima y sírvalos inmediatamente.

3

3

5

Brazo de gitano de chocolate

Añadiéndole frutos secos y pasas, este postre adquiere una textura parecida a la de los brownies *de chocolate.*

Para 8 personas

INGREDIENTES

150 g de chocolate negro troceado
3 cucharadas de agua
175 g de azúcar lustre
5 huevos, con las yemas separadas de las claras
25 g de pasas picadas
25 g de pacanas picadas
una pizca de sal
azúcar glasé, para espolvorear
300 ml de nata líquida espesa, ligeramente montada

1 Engrase una fuente para el horno de 30 x 20 cm y fórrela con papel vegetal engrasado.

2 En un cazo, derrita a fuego lento el chocolate con el agua hasta que se haya fundido. Deje que se enfríe.

3 En un cuenco, bata el azúcar con las yemas de huevo durante 2-3 minutos con las varillas eléctricas, hasta obtener una crema espesa y pálida.

4 Añada el chocolate enfriado, las pasas y las pacanas.

5 En un cuenco aparte, bata las claras con la sal a punto de nieve. Incorpore 1/4 parte de las claras en la mezcla anterior, y después el resto, trabajando de forma rápida pero cuidadosa.

6 Vierta la pasta en el molde preparado y cuézala en el horno precalentado a 180 °C durante 25 minutos, hasta que haya subido y esté firme al tacto. Deje que el bizcocho se entibie y cúbralo con una hoja de papel vegetal y un paño de cocina limpio humedecido. Déjelo reposar hasta que esté totalmente frío.

7 Ponga el bizcocho sobre otra hoja de papel vegetal espolvoreada con azúcar glasé y quite el papel anterior y el paño.

8 Extienda la nata montada por encima. Enrolle el bizcocho por el lado más estrecho, hacia delante, separando el papel vegetal a medida que avance. Corte limpiamente los extremos del brazo de gitano, y dispóngalo en una bandeja para servir. Deje que se enfríe en la nevera hasta el momento de servirlo. Si lo desea, espolvoréelo con un poco más de azúcar glasé antes de servirlo.

3

4

5

Tarta de frutas

Ésta es una forma fácil de preparar una tarta: todo lo que hay que hacer es extender la pasta, rellenarla con fruta y doblar los bordes hacia arriba. Queda estupenda servida con una cucharada de helado.

Para 8 personas

INGREDIENTES

PASTA:
175 g de harina
100 g de mantequilla troceada
1 cucharada de agua
1 huevo, con la yema separada de la clara
terrones de azúcar triturados, para espolvorear

RELLENO:
600 g de fruta preparada (ruibarbo, grosellas silvestres, ciruelas claudias o damascenas)
75 g de azúcar moreno fino
1 cucharada de jengibre molido

1 Engrase una bandeja para el horno grande.

2 Para hacer la pasta, ponga la harina con la mantequilla en un cuenco y trabaje la mezcla con los dedos. Añada el agua y amase hasta obtener una pasta suave. Envuélvala y déjela en la nevera 30 minutos.

3 Con el rodillo, extienda la pasta enfriada y forme un redondel de unos 35 cm de diámetro.

4 Colóquelo sobre la bandeja para el horno y píntelo con la yema de huevo.

5 Para preparar el relleno, mezcle la fruta con el azúcar moreno y el jengibre molido; apílelo en el centro del redondel de pasta.

6 Frunza los bordes del redondel hacia arriba, pinte el doblez de pasta con clara de huevo y espolvoréelo con los terrones de azúcar triturados.

7 Cueza la tarta en el horno precalentado a 200 °C, durante unos 35 minutos o hasta que esté dorada. Sírvala caliente, acompañada con helado, por ejemplo de vainilla.

SUGERENCIA

Si la pasta se rompe al extenderla, no se asuste: ponga un parche y siga extendiéndola. La irregularidad hará la tarta más original.

2

4

6

Tarta de frutas con cobertura crujiente

Esta tarta incorpora una doble gama de sabores, pues además de la fruta lleva una cobertura crujiente muy sabrosa.

Para 8 personas

INGREDIENTES

PASTA:
- 150 g de harina
- 25 g de azúcar lustre
- 125 g de mantequilla troceada
- 1 cucharada de agua

RELLENO:
- 250 g de frambuesas
- 450 g de ciruelas, partidas por la mitad, deshuesadas y troceadas
- 3 cucharadas de azúcar de Demerara

PARA SERVIR:
- nata líquida

COBERTURA:
- 125 g de harina
- 75 g de azúcar de Demerara
- 100 g de mantequilla troceada
- 100 g de frutos secos variados, picados
- 1 cucharadita de canela en polvo

1 Para hacer la pasta, ponga la harina, el azúcar y la mantequilla en un cuenco, y mézclelo todo con las manos. Agregue el agua y trabájelo hasta que se forme una masa suave. Envuelva la pasta y déjela en la nevera 30 minutos.

2 Extienda la pasta con el rodillo y forre con ella un molde desmontable, acanalado y redondo, de 24 cm de diámetro. Pinche la pasta con un tenedor y déjela en la nevera otros 30 minutos más.

3 Para hacer el relleno, mezcle las frambuesas y las ciruelas con el azúcar; con una cuchara, deposítelo sobre la base de la tarta.

4 Para la cobertura, mezcle en un cuenco la harina con el azúcar y la mantequilla. Trabaje con las manos hasta obtener una consistencia de pan rallado. Incorpore los frutos secos y la canela en polvo.

5 Espolvoree la cobertura por encima de la fruta y cueza la tarta en el horno precalentado a 200 °C, 20-25 minutos, hasta que la cobertura esté dorada. Sírvala acompañada con nata líquida.

Tarta de queso y manzana

El relleno de manzana y dátiles picados con azúcar moreno hace de ésta una tarta dulce, pero que no resulta nada empalagosa.

Para 8 personas

INGREDIENTES

175 g de harina de fuerza
1 cucharadita de levadura en polvo
una pizca de sal
75 g de azúcar moreno fino
100 g de dátiles, deshuesados y picados
500 g de manzanas de postre, sin el corazón y troceadas
50 g de nueces picadas
50 ml de aceite de girasol
2 huevos
175 g de queso red leicester, rallado

1 Engrase un molde desmontable, acanalado y redondo, de 23 cm de diámetro, y fórrelo con papel vegetal.

2 En un cuenco, tamice la harina, la levadura y la sal. Agregue el azúcar moreno, los dátiles, la manzana y las nueces. Mezcle bien en seco todos los ingredientes.

3 Bata el aceite con los huevos y viértalo sobre la mezcla seca anterior. Remueva hasta obtener una pasta homogénea.

4 Ponga la mitad de la pasta en el molde y allane la superficie con el dorso de una cuchara.

5 Espolvoree con el queso y ponga encima el resto de la pasta; procure que llegue a los bordes del molde.

6 Cueza la tarta en el horno precalentado a 180 °C, unos 45-50 minutos o hasta que esté dorada y firme al tacto.

7 Deje que se enfríe un poco en el molde y sírvala caliente.

SUGERENCIA

Esta tarta es muy jugosa. Si queda algún trozo, puede guardarlo en la nevera y calentarlo antes de servirlo.

2

3

5

Tarta Tatin de manzana

Esta tarta volcada francesa resulta una opción sencilla y rápida cuando se desea elaborar un postre delicioso y reconfortante.

Para 8 personas

INGREDIENTES

125 g de mantequilla
125 g de azúcar lustre

4 manzanas de postre, sin el corazón y cortadas en cuartos

250 g de pasta quebrada preparada
nata fresca espesa, para servir

1 Caliente la mantequilla y el azúcar en una sartén de 23 cm que pueda ir al horno, unos 5 minutos, a fuego medio, hasta que empiece a formarse caramelo.

2 Coloque en la sartén los cuartos de manzana con el lado de la piel hacia abajo, con cuidado pues el caramelo estará muy caliente. Vuelva a poner la sartén al fuego y cueza la manzana a fuego suave durante 2 minutos.

3 Con el rodillo, extienda la pasta quebrada sobre una superficie enharinada y forme un redondel algo mayor que la sartén.

4 Cubra las manzanas con el redondel de pasta, y presione y doble un poco los bordes para que la fruta quede bien encerrada bajo la cubierta.

5 Cueza la tarta en el horno precalentado a 200 °C, unos 20-25 minutos, hasta que la pasta esté dorada. Retírela del horno y deje que se enfríe unos 10 minutos.

6 Coloque un plato para servir boca abajo sobre la sartén y déle la vuelta, para que la pasta pase a ser la base de la tarta y las manzanas queden encima. Sirva la tarta caliente, con nata fresca.

VARIACIÓN

Si lo prefiere, puede utilizar peras en lugar de manzanas. Tampoco las pele: sólo córtelas en cuartos y a continuación extraiga el corazón.

2

3

4

Tarta de melaza

Ésta es una receta muy antigua que sigue encantando a todo el mundo. Si se utiliza pasta preparada, resulta muy rápida de elaborar.

Para 8 personas

INGREDIENTES

250 g de pasta quebrada preparada
350 g de sirope dorado
125 g de miga de pan blanco
125 ml de nata líquida espesa
la ralladura fina de 1/2 limón o naranja
2 cucharadas de zumo de limón o de naranja
crema, para servir

1 Extienda la pasta quebrada con el rodillo y forre con ella un molde para tartas desmontable, acanalado y redondo, de 20 cm de diámetro. Guarde los retales de pasta sobrantes. Pinche la la pasta con un tenedor y deje que se enfríe en la nevera.

2 Con los trozos sobrantes de pasta, recorte unas figuras, por ejemplo, hojas, estrellas o corazones, para adornar la parte superior de la tarta.

3 En un bol, mezcle el sirope dorado con la miga de pan, la nata líquida, y la ralladura y el zumo de limón o de naranja.

4 Vierta la mezcla en el molde y decore el borde de la tarta con las figuras de pasta.

5 Cueza la tarta en el horno precalentado a 190 °C, durante unos 35-40 minutos o hasta que el relleno haya cuajado y esté dorada.

6 Deje que la tarta se enfríe ligeramente en el molde. Desmóldela y sírvala acompañada con la crema.

VARIACIÓN

Si lo prefiere, puede recortar la pasta sobrante en tiras y formar una rejilla sobre el relleno.

2

3

4

Tarta de manzana y frutas secas

La manzana fresca realza el dulce sabor de las frutas secas; la mezcla constituye un delicioso y jugoso relleno para tartas y empanadas.

Para 8 personas

INGREDIENTES

PASTA:
- 150 g de harina
- 25 g de azúcar lustre
- 125 g de mantequilla troceada
- 1 cucharada de agua

RELLENO:
- 1 bote de 410 g de mezcla de frutas secas picadas
- 3 manzanas de postre, sin el corazón y ralladas
- 1 cucharada de zumo de limón
- 40 g de mantequilla
- 40 g de sirope dorado

1 Para hacer la pasta, ponga la harina, el azúcar lustre y la mantequilla en un cuenco grande y mezcle con las manos.

2 Agregue el agua y amase hasta obtener una pasta suave. Envuélvala y deje que se enfríe en la nevera unos 30 minutos.

3 Extienda la pasta con el rodillo sobre una superficie ligeramente enharinada y forre con ella un molde desmontable para tartas, acanalado, de 24 cm. Pinche la pasta con un tenedor y déjela en la nevera otros 30 minutos.

4 Forre la base de la pasta con papel de aluminio y ponga encima alubias crudas o pesos. Cuézala en el horno precalentado a 190 °C, 15 minutos. Retire los pesos y el papel de aluminio y cuézala 15 minutos más.

5 Mezcle la fruta seca con la manzana rallada y el zumo de limón, y disponga la mezcla sobre la base de pasta.

6 Derrita la mantequilla con el sirope dorado en un cazo, y viértalo por encima de la fruta.

7 Hornee la tarta durante 20 minutos, o hasta que esté firme. Sírvala caliente.

VARIACIÓN

Para potenciar el sabor de la fruta, puede agregar 2 cucharadas de jerez.

4

5

6

Tarta de natillas al huevo

Esta clásica tarta de crema se debe servir recién salida del horno, que es cuando su sabor y textura están en su mejor punto.

Para 8 personas

INGREDIENTES

PASTA:
150 g de harina
25 g de azúcar lustre
125 g de mantequilla troceada
1 cucharada de agua

RELLENO:
3 huevos
150 ml de nata líquida
150 ml de leche
nuez moscada recién molida

PARA SERVIR:
nata montada

1 Para hacer la pasta, ponga la harina y el azúcar en un cuenco, añada la mantequilla y trabaje la mezcla con las manos.

2 Agregue el agua y trabaje hasta obtener una pasta suave. Envuélvala y deje que se enfríe en la nevera unos 30 minutos.

3 Extienda la pasta con el rodillo y forme un redondel ligeramente más grande que un molde redondo, desmontable y acanalado, de 24 cm de diámetro.

4 Forre el molde con la pasta y recorte la que sobre. Pinche la pasta con un tenedor y vuelva a dejarla otros 30 minutos en la nevera.

5 Cubra la pasta con papel de aluminio y esparza por encima pesos para hornear o alubias.

6 Cuézala en el horno precalentado a 190 °C, unos 15 minutos. Retire el papel de aluminio y los pesos, y hornéela durante otros 15 minutos.

7 Para el relleno, bata los huevos con la nata líquida, la leche y la nuez moscada. Viértalo sobre la base de pasta y hornee la tarta durante unos 25-30 minutos, o hasta que el relleno haya cuajado. Si lo desea, sirva la tarta con nata montada para acompañar.

SUGERENCIA

Al hornear la base de pasta previamente, se garantiza que se cueza bien y quede crujiente.

3

4

7

Tarta de limón

Nadie podrá resistirse a esta tarta, con su mantecosa base y su relleno ácido que se deshace en la boca.

Para 8 personas

INGREDIENTES

PASTA:
150 g de harina
25 g de azúcar lustre
125 de mantequilla troceada
1 cucharada de agua

RELLENO:
150 ml de nata líquida espesa
100 g de azúcar lustre
4 huevos
la ralladura de 3 limones
12 cucharadas de zumo de limón
azúcar glasé, para espolvorear

1 Para la pasta, ponga en un cuenco la harina, el azúcar, y la mantequilla, y trabájelo con las manos. Agregue el agua y mezcle hasta formar una pasta suave. Envuélvala y deje que se enfríe 30 minutos en la nevera.

2 Con el rodillo, extienda la pasta sobre una superficie enharinada y forre con ella un molde para tarta de 24 cm. Pinche la pasta con un tenedor y déjela en la nevera otros 30 minutos.

3 Forre la base de la pasta con papel de aluminio y esparza por encima pesos para hornear. Cuézala en el horno precalentado a 190 °C, 15 minutos. Retire los pesos y el papel de aluminio, y hornéela 15 minutos más.

4 Para el relleno, mezcle la nata líquida con el azúcar, los huevos, y el zumo y la ralladura de limón. Ponga el molde sobre una bandeja de hornear y vierta el relleno en la base de la tarta.

5 Cueza la tarta durante unos 20 minutos, o hasta que el relleno cuaje. Deje que se enfríe y espolvoréela con un poco de azúcar glasé antes de servirla.

SUGERENCIA

Para evitar que se derrame, vierta primero la mitad del relleno, introduzca la bandeja en el horno y acabe de rellenar la base de la tarta.

1

2

4

Tarta de naranja

Ésta es una variación de la clásica tarta de limón en la que el pan rallado que se añade aporta una textura muy interesante.

Para 6-8 personas

INGREDIENTES

PASTA:
150 g de harina
25 g de azúcar lustre
125 g de mantequilla troceada
1 cucharada de agua

RELLENO:
la ralladura de 2 naranjas
9 cucharadas de zumo de naranja
50 g de pan rallado
2 cucharadas de zumo de limón
150 ml de nata líquida
50 g de mantequilla
50 g de azúcar lustre
2 huevos, con las yemas separadas de las claras
una pizca de sal

1 Para hacer la pasta, ponga en un cuenco la harina, el azúcar, y la mantequilla, y trabájelo con las manos. Agregue el agua y amase hasta obtener una pasta suave. Envuélvala y deje que se enfríe 30 minutos en la nevera.

2 Con el rodillo, extienda la pasta sobre una superficie enharinada, y forre un molde para tarta acanalado de 24 cm. Pinche la pasta con un tenedor y déjela en la nevera otros 30 minutos.

3 Cubra la pasta con papel de aluminio, esparza por encima pesos de hornear o alubias, y cuézala en el horno precalentado a 190 °C, unos 15 minutos. Retire los pesos y el papel de aluminio y hornéela otros 15 minutos.

4 Para el relleno, mezcle en un cuenco la ralladura y el zumo de naranja y el pan rallado. Agregue el zumo de limón y la nata líquida. En un cazo, derrita la mantequilla con el azúcar a fuego lento. Retírelo del fuego, y añada las 2 yemas de huevo, la sal y la mezcla de pan rallado; remueva bien.

5 En un cuenco, bata las claras a punto de nieve con una pizca de sal. Incorpórelas con cuidado en la mezcla anterior.

6 Vierta el relleno en la base de la tarta. Cuézala en el horno precalentado a 170 °C, durante unos 45 minutos o hasta que cuaje. Sírvala caliente.

4

4

5

Tarta de crema de coco

Decore esta tarta con alguna fruta fresca tropical, como mango o piña, y espolvoree por encima algo más de coco rallado

Para 6-8 personas

INGREDIENTES

PASTA:
150 g de harina
25 g de azúcar lustre
125 g de mantequilla troceada
1 cucharada de agua

RELLENO:
425 ml de leche
125 g de coco cremoso
3 yemas de huevo
125 g de azúcar lustre
50 g de harina tamizada
25 g de coco rallado
25 g de piña confitada, picada
2 cucharadas de ron o de zumo de piña
300 ml de nata montada

1 Para la pasta, en un cuenco, trabaje con las manos la harina y el azúcar con la mantequilla. Agregue el agua y amase hasta formar una pasta suave. Envuélvala y déjela 30 minutos en la nevera.

2 Con el rodillo, extienda la pasta sobre una superficie ligeramente enharinada y forre un molde desmontable, redondo y acanalado, de 24 cm. Pinche la pasta con un tenedor y déjela en la nevera otros 30 minutos. Forre la base de la tarta con papel de aluminio y esparza por encima pesos de hornear o alubias. Cuézala en el horno precalentado a 190 °C, unos 15 minutos. Retire los pesos y el papel de aluminio y hornéela otros 15 minutos. Deje que se enfríe.

3 Para preparar el relleno, en un cazo, lleve la leche con el coco casi a ebullición, removiendo para que el coco se derrita.

4 En un bol, bata las yemas con el azúcar hasta obtener una mezcla pálida y esponjosa. Añada la harina. Sin dejar de remover, vierta la leche caliente sobre la mezcla. Caliéntela a fuego lento 8 minutos hasta que se espese, removiendo. Deje que la crema se enfríe.

5 Añada el coco rallado, la piña y el ron, y vierta el relleno en la base de la tarta. Decórela con la nata y guárdela en la nevera.

1

3

4

Tarta de piñones

El dulce relleno de esta tarta, elaborado con cuajada, se recubre con piñones, que son un elemento muy decorativo.

Para 8 personas

INGREDIENTES

PASTA:
150 g de harina
25 g de azúcar lustre
125 g de mantequilla troceada
1 cucharada de agua

RELLENO:
350 g de cuajada
4 cucharadas de nata líquida espesa
3 huevos
125 g de azúcar lustre
la ralladura de 1 naranja
100 g de piñones

1 Para hacer la pasta, ponga la harina y el azúcar en un cuenco, con la mantequilla, y trabájelo con las manos. Agregue el agua y amase hasta formar una pasta suave. Envuélvala y deje que se enfríe 30 minutos en la nevera.

2 Extienda la pasta con el rodillo sobre una superficie ligeramente enharinada y forre un molde para tarta acanalado de 24 cm de diámetro. Pinche la pasta con un tenedor y déjela en la nevera otros 30 minutos.

3 Forre la base de la pasta con papel de aluminio, esparza pesos por encima y cuézala en el horno precalentado a 190 °C, unos 15 minutos. Retire los pesos y el papel de aluminio y hornéela otros 15 minutos.

4 Para el relleno, bata la cuajada con la nata líquida, los huevos, el azúcar, la ralladura de naranja y la mitad de los piñones. Con una cuchara, deposite el relleno en la base de la tarta y esparza por encima el resto de los piñones.

5 Cueza la tarta en el horno precalentado a 170 °C, 35 minutos o hasta que cuaje. Sírvala fría.

VARIACIÓN

Si lo prefiere, sustituya los piñones por almendras fileteadas.

Tarta de frutos secos

Esta suculenta tarta llena bastante. Sírvala en porciones pequeñas.

Para 8 personas

INGREDIENTES

PASTA:
150 g de harina
25 g de azúcar lustre
125 g de mantequilla troceada
1 cucharada de agua

RELLENO:
75 g de mantequilla
50 g de azúcar lustre
75 g de miel
200 ml de nata líquida espesa
1 huevo batido
200 g de frutos secos variados
200 g de una mezcla de piel de cítricos confitada

1 Para hacer la pasta, ponga la harina y el azúcar en un cuenco, con la mantequilla, y trabaje con las manos. Agregue el agua y amase hasta formar una pasta suave. Envuélvala y deje que se enfríe 30 minutos en la nevera.

2 Extienda la pasta con el rodillo sobre una superficie ligeramente enharinada y forre con ella un molde para tarta acanalado de 24 cm de diámetro. Pinche la pasta con un tenedor y déjela en la nevera otros 30 minutos.

3 Forre la base de la pasta con papel de aluminio y esparza pesos por encima. Cuézala en el horno precalentado a 190 °C unos 15 minutos. Retire los pesos y el aluminio; hornee 15 minutos más.

4 Para el relleno, derrita en un cazo la mantequilla, el azúcar y la miel. Añada la nata líquida y el huevo batido, y después los frutos secos y la piel confitada. Cuézalo a fuego lento 2 minutos, sin dejar de remover, hasta que la mezcla sea de un color dorado pálido.

5 Vierta el relleno en la base de tarta; hornéela 15-20 minutos, o hasta que haya cuajado. Deje que se enfríe y sírvala en porciones.

VARIACIÓN

Si lo prefiere, sustituya los frutos secos variados por nueces o pacanas.

Tarta de albaricoque y arándanos

He aquí un postre ideal para la época navideña, cuando abundan los arándanos frescos. Si lo desea, puede pintar la tarta en caliente con 2 cucharadas de mermelada de albaricoque derretida.

Para 8-10 personas

INGREDIENTES

PASTA:
150 g de harina
125 g de azúcar lustre
125 g de mantequilla troceada
1 cucharada de agua

RELLENO:
200 g de mantequilla sin sal
200 g de azúcar lustre
1 huevo
2 yemas de huevo
40 g de harina tamizada
175 g de almendra molida
4 cucharadas de nata líquida espesa
1 lata de 410 g de mitades de albaricoque, escurridas
125 g de arándanos frescos

1 Para hacer la pasta, ponga la harina y el azúcar en un cuenco, con la mantequilla, y trabaje con las manos. Agregue el agua y amase hasta formar una pasta suave. Envuélvala y deje que se enfríe 30 minutos en la nevera.

2 Con el rodillo, extienda la pasta sobre una superficie ligeramente enharinada, y forre con ella un molde para tarta acanalado de 24 cm de diámetro. Pinche la pasta con un tenedor y déjela en la nevera 30 minutos.

3 Forre la base de la pasta con papel de aluminio y esparza pesos por encima. Cuézala en el horno precalentado a 190 °C, unos 15 minutos. Retire los pesos y el papel de aluminio y hornéela 15 minutos más.

4 Para hacer el relleno, bata la mantequilla con el azúcar a punto de crema. Añada el huevo y las yemas, y después la harina, la almendra y la nata.

5 Deposite las mitades de albaricoque y los arándanos en la base de la tarta y cúbralos con cucharadas de la pasta anterior.

6 Hornee la tarta durante 1 hora, o hasta que la pasta del relleno haya cuajado. Deje que se entibie y sírvala caliente o fría.

2

4

5

Tarta de chocolate blanco y almendras

En esta variación de la tarta de pacanas clásica, los frutos secos y el chocolate se recubren con un almíbar espeso.

Para 8 personas

INGREDIENTES

PASTA:
150 g de harina
25 g de azúcar lustre
125 g de mantequilla troceada
1 cucharada de agua

RELLENO:
150 g de sirope dorado
50 g de mantequilla
75 g de azúcar moreno fino
3 huevos ligeramente batidos
100 g de almendras enteras, escaldadas y picadas gruesas
100 g de chocolate blanco, troceado
nata líquida, para servir (opcional)

1 Para hacer la pasta, ponga la harina y el azúcar en un cuenco, con la mantequilla, y trabaje con las manos. Agregue el agua y amase hasta formar una pasta suave. Envuélvala y deje que se enfríe 30 minutos en la nevera.

2 Con el rodillo, extienda la pasta sobre una superficie enharinada y forre un molde para tarta acanalado de 24 cm. Pinche la pasta con un tenedor y déjela en la nevera 30 minutos.

Forre la base de la pasta con papel de aluminio y esparza unos pesos. Cuézala en el horno precalentado a 190 °C, unos 15 minutos. Retire los pesos y el papel de aluminio y hornéela 15 minutos más.

3 Para hacer el relleno, caliente en un cazo a fuego lento el sirope con la mantequilla y el azúcar. Retírelo del fuego y deje que se enfríe ligeramente. Añada el huevo, las almendras y el chocolate.

4 Vierta el relleno de chocolate y almendras en la base de la tarta; hornéela 30-35 minutos, o hasta que haya cuajado. Deje que se entibie antes de desmoldarla. Si lo desea, sírvala acompañada con nata líquida.

VARIACIÓN

Si lo prefiere, puede utilizar una mezcla de chocolate blanco y negro.

2

3

3

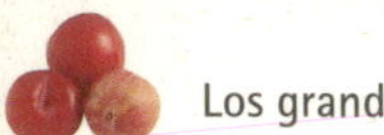

Enrejado de frutas secas y uvas

Este enrejado es un buen postre para la época navideña. Por su festivo relleno y su delicioso sabor, resulta una alternativa estupenda a los clásicos pasteles de frutas secas.

Para 4 personas

INGREDIENTES

500 g de pasta de hojaldre preparada
1 huevo, para el glaseado
azúcar de Demerara para espolvorear
1 bote de 410 g de frutas secas variadas, picadas
100 g de uvas, despepitadas y cortadas por la mitad

1 Engrase ligeramente una bandeja para el horno.

2 Con el rodillo, extienda la pasta sobre una superficie ligeramente enharinada y córtela en 2 rectángulos.

3 Ponga un rectángulo de pasta sobre la bandeja engrasada y pinte los bordes con agua.

4 En un bol, mezcle la fruta picada con las uvas. Extienda este relleno sobre el rectángulo de pasta, dejando un reborde libre de 2,5 cm.

5 Doble el segundo rectángulo a lo largo y, con cuidado, corte una serie de líneas diagonales paralelas, dejando un reborde sin cortar de 2,5 cm.

6 Abra el rectángulo cortado y cubra con él el relleno de fruta. Para sellar los bordes, presione bien.

7 Pellizque los bordes para formar una cenefa. Pinte la pasta ligeramente con el huevo batido y espolvoree con azúcar.

8 Cueza el enrejado en el horno precalentado a 220 °C durante unos 15 minutos. Después, baje la temperatura a 180 °C y hornéelo 30 minutos más, hasta que el hojaldre haya subido y haya adquirido un color dorado. Antes de servirlo, deje que se enfríe sobre una rejilla metálica.

SUGERENCIA

Si lo desea, mezcle la fruta picada con 2 cucharadas de jerez.

Tartaletas de pera

Estas tartaletas se hacen con pasta de hojaldre preparada, que se vende en la mayoría de los supermercados. El resultado final es rico y mantecoso.

Para 6 tartaletas

INGREDIENTES

250 g de pasta de hojaldre preparada
25 g de azúcar moreno
25 g de mantequilla (y un poco más para pintar)
1 cucharada de jengibre confitado, finamente picado
3 peras, peladas, cortadas por la mitad y a las que se habrá extraído el corazón
nata líquida, para servir

1 Con el rodillo, extienda la pasta sobre una superficie ligeramente enharinada. Recorte 6 redondeles de 10 cm.

2 Póngalos sobre una bandeja de hornear grande y déjelos 30 minutos en la nevera.

3 Bata el azúcar con la mantequilla a punto de crema, y después añada el jengibre.

4 Pinche los redondeles de pasta con un tenedor y extienda un poco de mantequilla al jengibre por encima.

5 Corte las mitades de pera en rodajitas, dejando el extremo intacto. Despliegue las rodajas ligeramente en forma de abanico.

6 Coloque media pera sobre cada redondel de hojaldre. Haga pequeñas incisiones en el reborde de pasta y pinte las peras con mantequilla derretida.

7 Cueza las tartaletas en el horno precalentado a 200 °C, entre 15 y 20 minutos, hasta que la pasta haya subido y esté dorada. Sirvalas calientes, acompañadas con un poco de nata líquida.

SUGERENCIA

Si lo prefiere, sirva las tartaletas con helado de vainilla, lo que también constituirá un delicioso postre.

2

5

6

Tartaletas de crema quemada

La fruta fresca es un buen acompañamiento para estas tartaletas.

Para 6 tartaletas

INGREDIENTES

PASTA:
150 g de harina
25 g de azúcar lustre
125 g de mantequilla troceada
1 cucharada de agua

RELLENO:
4 yemas de huevo
50 g de azúcar lustre
400 ml de nata líquida espesa
1 cucharadita de extracto de vainilla
azúcar de Demerara, para espolvorear

1 Para hacer la pasta, ponga la harina y el azúcar en un cuenco, con la mantequilla, y trabájelo con las manos. Agregue el agua y amase hasta formar una pasta suave. Envuélvala y deje que se enfríe 30 minutos en la nevera.

2 Con el rodillo, extienda la pasta sobre una superficie ligeramente enharinada y forre 6 moldes para tartaleta de 10 cm de diámetro. Pinche la pasta con un tenedor y deje los moldes en la nevera 20 minutos.

3 Forre las bases de tartaleta con papel de aluminio y esparza unos pesos por encima. Cuézalas en el horno precalentado a 190 °C, unos 15 minutos. Retire los pesos y el papel de aluminio y hornéelas 15 minutos más.

4 Bata en un cuenco las yemas de huevo con el azúcar hasta obtener una crema pálida. Caliente la nata líquida con el extracto de vainilla en un cazo hasta que casi llegue a hervir, y viértalo sobre la mezcla de huevo, sin dejar de batir.

5 Ponga la mezcla en un cazo limpio y caliéntela hasta que se espese, removiendo. No debe llegar a hervir, para que no cuaje.

6 Cuando la crema se entibie, viértala en las bases. Deje que las tartaletas se enfríen y déjelas toda la noche en la nevera.

7 Espolvoree las tartaletas con el azúcar. Colóquelas bajo el grill bien caliente unos minutos. Deje que se enfríen y guárdelas 2 horas en la nevera antes de servirlas.

2

4

7

Mini tartaletas de almendra

La original base de estas tartaletas, perfumada con lima, lleva un relleno de almendra.

Para 12 tartaletas

INGREDIENTES

- 125 g de harina
- 100 g de mantequilla ablandada
- 1 cucharadita de ralladura de lima
- 1 cucharada de zumo de lima
- 50 g de azúcar lustre
- 1 huevo
- 25 g de almendra molida
- 50 g de azúcar glasé tamizado
- $^1/_2$ cucharada de agua

1 Reserve 5 cucharadas de harina y 3 de mantequilla.

2 Mezcle el resto de la harina y la mantequilla, hasta obtener una consistencia de pan rallado. Agregue la ralladura de lima, a continuación el zumo, y forme una pasta homogénea.

3 Con el rodillo, extienda la pasta bien delgada sobre una superficie ligeramente enharinada. Recorte 12 redondeles de 7,5 cm y forre con ellos los huecos de un molde múltiple para tartaletas.

4 En un bol, bata la mantequilla reservada con el azúcar a punto de crema.

5 Añada el huevo, y después la almendra molida y la harina reservada.

6 Reparta la mezcla entre las bases de pasta.

7 Cueza las tartaletas en el horno precalentado a 200 °C, 15 minutos, hasta que cuajen y se doren ligeramente. Desmóldelas y deje que se enfríen.

8 Deslía el azúcar glasé en el agua. Antes de servir las tartaletas, vierta un poco de glaseado sobre cada una de ellas.

SUGERENCIA

Puede preparar las tartaletas con antelación, guardarlas en un recipiente hermético y rociarlas con el glaseado justo antes de servirlas.

3

5

6

Panes y pastas saladas

Nunca había sido tan fácil hornear el pan en casa, pues ahora se venden unas levaduras de fácil disolución muy prácticas. En estas recetas se emplean sobres de 6 g de levadura seca, fácil de encontrar y que da muy buenos resultados. Si prefiere la levadura fresca, la dosis será de 25 g. Deslíala en el líquido caliente y añada 1 cucharadita de azúcar. Incorpórela en la harina y prosiga con la elaboración tal como se indica.

Para las recetas que incluyan levadura, escoja una harina, ya sea blanca o integral, adecuada para hacer pan, es decir, con una elevada proporción de gluten, la proteína que da a la masa su elasticidad. Amase siempre bien la pasta, y dé prioridad al trabajo a mano frente al robot de cocina, aunque también se puede utilizar. Amasar resulta muy gratificante, pues se liberan tensiones.

Este capítulo también incluye una amplia selección de empanadas, pastas y tartas saladas, platos que pueden constituir una parte de una comida. Pudín de queso, tarta de cebolla, hojaldres de tomate fresco... podrá escoger entre multitud de recetas.

Pastas para el té

Estas pastas de té inglesas resultan deliciosas abiertas por la mitad, tostadas y untadas con mantequilla. Para elaborarlas, utilice cerezas confitadas y trocitos de orejones y de piel de cítricos confitada.

Para 12 pastas

INGREDIENTES

- 450 g de harina para pan
- 1 sobre de levadura seca de fácil disolución
- 50 g de azúcar lustre
- 1 cucharadita de sal
- 25 g de mantequilla troceada
- 300 ml de leche tibia
- 75 g de una rica y variada mezcla de frutas secas, de buena calidad
- miel, para pintar

1 Engrase varias bandejas para el horno.

2 Tamice la harina en un cuenco grande. Añada la levadura, el azúcar y la sal. Incorpore la mantequilla y mezcle hasta obtener una consistencia de pan rallado. Agregue la leche y amase hasta formar una pasta suave.

3 Ponga la pasta sobre una superficie enharinada y amásela a mano unos 5 minutos (puede hacerlo también con el robot de cocina, equipado con el accesorio adecuado).

4 Ponga la pasta en un cuenco engrasado, cúbrala y déjela leudar en un lugar cálido durante 1-1½ horas, hasta que haya doblado su volumen.

5 Amase unos minutos más e incorpore la fruta. Divida la pasta en 12 bolitas y distribúyalas entre las bandejas para el horno. Cúbralas y déjelas leudar 1 hora o hasta que estén esponjosas al tacto.

6 Cueza las pastas en el horno precalentado a 200 °C, unos 20 minutos. Píntelas con miel mientras todavía estén calientes.

7 Deje enfriar las pastas sobre una rejilla metálica antes de servirlas rebanadas por la mitad, tostadas y untadas con mantequilla.

SUGERENCIA

Es importante que la leche esté a la temperatura correcta: caliéntela sólo hasta que pueda introducir el dedo meñique y dejarlo sumergido durante 10 segundos sin quemarse.

3

5

Caracoles de canela

Estos caracoles de canela resultan deliciosos servidos calientes, unos minutos después de haberlos sacado del horno.

Para 12 pastas

INGREDIENTES

225 g de harina para pan
1/2 cucharadita de sal
1 sobre de levadura seca de fácil disolución
25 g de mantequilla troceada

1 huevo batido
125 ml de leche tibia
2 cucharadas de sirope de arce

RELLENO:
50 g de mantequilla ablandada
2 cucharaditas de canela en polvo
50 g de azúcar moreno fino
50 g de pasas de Corinto

1 Engrase una bandeja para el horno cuadrada de 23 cm.

2 Tamice la harina y la sal en un bol grande. Añada la levadura. Incorpore la mantequilla y trabaje con las manos hasta obtener una consistencia de pan rallado. Añada el huevo y la leche, y mezcle bien hasta formar una pasta.

3 Ponga la pasta en un cuenco engrasado, cúbrala y déjela en un lugar cálido 40 minutos, o hasta que haya doblado su volumen.

4 Amase y golpee la pasta 1 minuto, para que expulse el aire. Extiéndala con el rodillo y forme un rectángulo de 30 x 23 cm.

5 Bata la mantequilla con la canela y el azúcar moreno hasta obtener una crema. Extiéndala sobre la pasta, dejando un reborde de 2,5 cm. Esparza las pasas.

6 Enrolle la pasta por el lado más ancho, presionando el relleno. Corte el cilindro en 12 rebanadas. Colóquelas sobre la bandeja de hornear, cúbralas y déjelas reposar 30 minutos.

7 Cueza las pastas en el horno precalentado a 190 °C, 20-30 minutos o hasta que hayan subido. Píntelas con el sirope y deje que se entibien antes de servirlas.

VARIACIÓN

Si prefiere una textura crujiente, sustituya las pasas de Corinto por nueces o pacanas troceadas.

6

Bizcocho de canela y pasas de Corinto

Este delicioso bizcocho es rápido y fácil de hacer, y resulta delicioso para acompañar un café con leche, quizás untado con mantequilla y rociado con un poco de miel.

Para un pastel de 900 g

INGREDIENTES

350 g de harina
una pizca de sal
1 cucharada de levadura en polvo
1 cucharada de canela en polvo
150 g de mantequilla troceada
125 g de azúcar moreno fino
175 g de pasas de Corinto
la ralladura fina de 1 naranja
5-6 cucharadas de zumo de naranja
6 cucharadas de leche
2 huevos, ligeramente batidos

1 Engrase un molde rectangular de 1 litro de capacidad y forre la base con papel vegetal.

2 Tamice la harina, la sal, la levadura y la canela en un bol. Incorpore la mantequilla y trabaje con las manos hasta obtener una consistencia de pan rallado grueso.

3 Agregue el azúcar, las pasas y la ralladura de naranja. Incorpore el zumo de naranja, la leche y los huevos en los ingredientes secos. Mézclelo todo bien.

4 Pase la pasta al molde preparado y haga un pequeño hoyo en el centro para facilitar que suba de manera uniforme.

5 Cueza el bizcocho en el horno precalentado a 180 °C, durante 1 hora-1 hora y 10 minutos, o hasta que al insertar un pincho de cocina en el centro éste salga limpio.

6 Deje que el bizcocho se entibie antes de desmoldarlo y que se enfríe del todo sobre una rejilla metálica antes de servirlo.

SUGERENCIA

Una vez mezclados los ingredientes líquidos y secos, trabaje con la mayor rapidez posible, porque la levadura se activa con el líquido.

2

3

4

Bizcocho de naranja, plátano y arándanos

Con la adición de frutos secos, piel de cítricos, zumo de naranja y arándanos secos, se obtiene un bizcocho suculento y jugoso para mojar en el café con leche o el té.

Para 8-10 personas

INGREDIENTES

- 175 g de harina de fuerza
- 1/2 cucharadita de levadura en polvo
- 150 g de azúcar moreno fino
- 2 plátanos triturados
- 50 g de mezcla de piel de cítricos, picada
- 25 g de frutos secos variados, picados
- 50 g de arándanos secos
- 5-6 cucharadas de zumo de naranja
- 2 huevos batidos
- 150 ml de aceite de girasol
- 75 g de azúcar glasé, tamizado
- la ralladura de 1 naranja

1 Engrase un molde rectangular de 1 litro de capacidad y forre la base con papel vegetal.

2 Tamice la harina y la levadura en polvo en un cuenco. Añada el azúcar, el plátano, la piel de cítricos, los frutos secos y los arándanos.

3 Mezcle bien el zumo de naranja con el huevo y el aceite, y viértalo sobre los ingredientes secos, removiendo para mezclar. Vierta la pasta en el molde preparado.

4 Cueza el bizcocho en el horno precalentado a 180 °C, 1 hora o hasta que esté firme, o cuando al insertar un pincho de cocina en el centro, salga limpio.

5 Desmolde el bizcocho y deje que se enfríe sobre una rejilla metálica.

6 Mezcle el azúcar glasé con un poco de agua y viértalo por encima del pastel. Espolvoree con la ralladura de naranja. Deje que el glaseado cuaje antes de servir el bizcocho, cortado en rebanadas.

SUGERENCIA

Este bizcocho se conservará un par de días envuelto con cuidado y guardado en un lugar fresco y seco.

2

3

3

Bizcocho de plátano y dátiles

Por su textura jugosa y su delicado sabor, este bizcocho resulta ideal para merendar, acompañando un té o una taza de café.

Para 6-8 personas

INGREDIENTES

225 de harina de fuerza
100 g de mantequilla troceada
75 g de azúcar lustre
125 g de dátiles, deshuesados y picados
2 plátanos ligeramente triturados
2 huevos ligeramente batidos
2 cucharadas de miel

1 Engrase un molde rectangular de 1 litro de capacidad y forre la base con papel vegetal.

2 Tamice la harina en un cuenco grande.

3 Añada la mantequilla y trabaje con las manos hasta obtener una consistencia de pan rallado.

4 Incorpore el azúcar, los dátiles picados, el plátano triturado, el huevo batido y la miel. Con una cuchara, mezcle bien hasta obtener una pasta de consistencia suave.

5 Con la cuchara, pase la mezcla al molde preparado; allane la superficie con un cuchillo plano.

6 Cueza el bizcocho en el horno precalentado a 160 °C, 1 hora o hasta que esté dorado y al insertar un pincho de cocina en el centro, salga limpio.

7 Deje enfriar el pastel en el molde antes de colocarlo sobre una rejilla metálica.

8 Sirva el bizcocho frío o caliente, cortado en rebanadas gruesas.

SUGERENCIA

Este bizcocho se conservará varios días guardado en un recipiente hermético, en un lugar fresco y seco.

4

Corona de fruta

Este pan dulce, ideal para la época navideña, combina un punto de licor, frutos secos y fruta en una decorativa forma de corona. Se puede glasear con 2 cucharadas de miel en lugar de azúcar.

Para 1 roscón

INGREDIENTES

225 g de harina para pan
1/2 cucharadita de sal
1 sobre de levadura seca de fácil disolución
25 g de mantequilla troceada
125 ml de leche tibia
1 huevo batido

RELLENO:
50 g de mantequilla ablandada
50 g de azúcar moreno fino
25 g de avellanas picadas
25 g de jengibre confitado, picado
50 g de una mezcla de piel de cítricos confitada
1 cucharada de ron o brandi
100 g de azúcar glasé
2 cucharadas de zumo de limón

1 Engrase una bandeja para el horno. En un bol, tamice la harina, la sal y la levadura. Añada la mantequilla y trabaje con las manos. Vierta la leche y el huevo y amase hasta formar una pasta.

2 Coloque la pasta en un bol engrasado, cúbrala y déjela en un lugar cálido 40 minutos, hasta que doble su volumen. Amásela 1 minuto; golpee para eliminar el aire. Con el rodillo, extiéndala en un rectángulo de 30 x 23 cm.

3 Para hacer el relleno, bata la mantequilla con el azúcar a punto de crema. Añada la avellana, el jengibre, la piel de cítricos y el licor. Extienda el relleno sobre la pasta, dejando un reborde libre de 2,5 cm.

4 Enrolle la pasta, por el lado ancho, y forme un cilindro. Córtelo en rebanadas de 2,5 cm de espesor. Dispóngalas una junto a otra sobre la bandeja, formando un círculo. Cubra la corona y déjela leudar en un lugar cálido durante 30 minutos.

5 Cueza la corona en el horno precalentado a 190 °C, unos 20-30 minutos o hasta que esté dorada. Mientras tanto, mezcle el azúcar glasé con el zumo de limón para obtener un glaseado fino.

6 Deje que la corona se entibie antes de decorarla con el glaseado. Sírvala en cuanto el azúcar haya cuajado.

2

3

4

Pan de dátiles y miel

Este pan está repleto de delicias: dátiles picados, semillas de sésamo y miel. Para obtener un refrigerio ligero, córtelo en rebanadas gruesas, tuéstelas y úntelas con queso cremoso.

Para 1 pan

INGREDIENTES

- 250 g de harina blanca para pan
- 75 g de harina integral para pan
- 1/2 cucharadita de sal
- 1 sobre de levadura seca de fácil disolución
- 200 ml de agua tibia
- 3 cucharadas de aceite de girasol
- 3 cucharadas de miel
- 75 g de dátiles picados
- 2 cucharadas de semillas de sésamo

1 Engrase un molde rectangular de 1 litro de capacidad. Tamice las harinas en un cuenco grande; añada la sal y la levadura seca.

2 Agregue el agua tibia, el aceite y la miel. Mézclelo todo bien hasta formar una pasta.

3 Sobre una superficie enharinada, amásela unos 5 minutos, hasta que esté suave.

4 Póngala en un bol engrasado, cúbrala y déjela leudar en un lugar cálido durante 1 hora, o hasta que haya doblado su volumen.

5 Incorpore en la pasta los dátiles y el sésamo, aplastando. Dé a la pasta forma de pan y colóquela en el molde.

6 Cúbrala y déjela en un lugar cálido otros 30 minutos, o hasta que esté esponjosa al tacto.

7 Cueza el pan en el horno precalentado a 220 °C, durante 30 minutos o hasta que suene a hueco al golpear la base.

8 Desmóldelo sobre una rejilla metálica y deje que se enfríe. Sírvalo cortado en rebanadas.

VARIACIÓN

Si lo prefiere, o para variar, sustituya las semillas de sésamo por pipas de girasol, lo que aportará una textura distinta.

SUGERENCIA

Si no sabe dónde poner la pasta a leudar, coloque el cuenco sobre una cazuela con agua caliente y cúbralo.

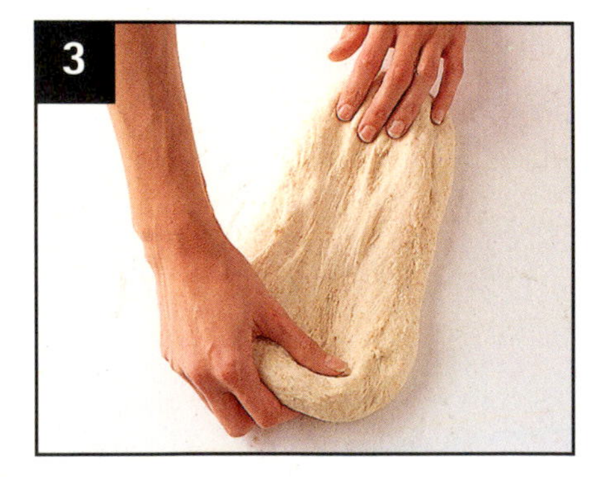

3

5

5

Bizcocho de calabaza

El puré de calabaza que incorpora este pastel lo hace exquisitamente jugoso. Resulta delicioso a cualquier hora del día.

Para 6-8 personas

INGREDIENTES

450 g de pulpa de calabaza
125 g de mantequilla ablandada
175 g de azúcar lustre
2 huevos batidos
225 g de harina tamizada
$1\frac{1}{2}$ cucharaditas de levadura en polvo
$\frac{1}{2}$ cucharadita de sal
1 cucharadita de una mezcla de especias dulces molidas
25 g de pipas de calabaza peladas

1 Engrase con aceite un molde rectangular de 1 litro de capacidad.

2 Trocee la calabaza y envuélvala con papel de aluminio untado con mantequilla. Cuézala en el horno precalentado a 200 °C, unos 30-40 minutos o hasta que esté tierna.

3 Cuando esté fría, tritúrela para hacer un puré espeso.

4 En un bol, bata la mantequilla y el azúcar a punto de crema. Incorpore el huevo poco a poco.

5 Agregue el puré de calabaza y, después, la harina, la levadura en polvo, la sal y la mezcla de especias.

6 Añada las pipas de calabaza. Ponga la pasta en el molde.

7 Cueza el bizcocho en el horno precalentado a 160 °C, $1\frac{1}{4}$-$1\frac{1}{2}$ horas o hasta que al insertar un pincho de cocina en el centro, salga limpio.

8 Deje enfriar el bizcocho y, si lo desea, sirva las rebanadas untadas con mantequilla.

SUGERENCIA

Para asegurarse de que el puré de calabaza no quede caldoso, caliéntelo en una cazuela a fuego medio unos minutos, removiendo con frecuencia.

2

Pan de frutas tropicales

El sabor del jengibre, el coco y la piña de este pan llevará un rayo de sol tropical a la mesa del desayuno. El mango se puede sustituir por cualquier otra fruta seca o piel de naranja confitada.

Para 1 pan

INGREDIENTES

- 350 g de harina para pan
- 50 g de salvado
- 1/2 cucharadita de sal
- 1/2 cucharadita de jengibre molido
- 1 sobre de levadura seca de fácil disolución
- 25 g de azúcar moreno fino
- 25 g de mantequilla troceada
- 250 ml de agua tibia
- 75 g de piña confitada, picada fina
- 25 g de mango seco, picado fino
- 50 g de coco rallado tostado
- 1 huevo batido
- 2 cucharadas de coco rallado

1 Engrase una bandeja para el horno. Tamice la harina en un cuenco grande y añada el salvado, la sal, el jengibre, la levadura y el azúcar. Incorpore la mantequilla y trabaje con las manos; agregue el agua y mezcle. Forme una pasta.

2 Amásela sobre una superficie enharinada unos 5-8 minutos, o hasta que esté suave (también puede hacerlo con el robot de cocina, equipado con el accesorio adecuado). Ponga la pasta en un bol engrasado, cúbrala y déjela leudar en un lugar cálido hasta que haya doblado su volumen.

3 Incorpore en la pasta la piña, el mango y el coco, amasando. Forme una bola y colóquela sobre la bandeja. Haga unas incisiones en la parte superior con el dorso de un cuchillo. Cúbrala y déjela otros 30 minutos en un lugar cálido.

4 Pinte el pan con el huevo y espolvoree con el coco rallado. Cuézalo en el horno precalentado a 220 °C, unos 30 minutos o hasta que esté dorado.

5 Antes de servirlo, deje que se enfríe sobre una rejilla.

SUGERENCIA

Después de la segunda fermentación, compruebe que el pan está listo para hornearlo presionando la pasta con el dedo: debe estar esponjosa.

1

1

1

Pan de cítricos

Este pan dulce está aromatizado con cítricos. Como el pan de frutas tropicales de la página 80, resulta excelente para el desayuno.

Para 1 pan

INGREDIENTES

- 450 g de harina para pan
- $^{1}/_{2}$ cucharadita de sal
- 50 g de azúcar lustre
- 1 sobre de levadura seca de fácil disolución
- 50 g de mantequilla troceada
- 5-6 cucharadas de zumo de naranja
- 4 cucharadas de zumo de limón
- 3-4 cucharadas de zumo de lima
- 150 ml de agua tibia
- 1 naranja
- 1 limón
- 1 lima
- 2 cucharadas de miel bastante líquida

1 Engrase ligeramente una bandeja para el horno.

2 Tamice la harina y la sal en un cuenco. Añada el azúcar y la levadura seca.

3 Incorpore la mantequilla con las manos. Agregue todos los zumos de fruta y el agua, y mezcle para formar la pasta.

4 Sobre una superficie ligeramente enharinada, amase la pasta 5 minutos (o bien utilice el robot de cocina equipado con el accesorio adecuado). Ponga la pasta en un cuenco engrasado, cúbrala y déjela leudar en un lugar cálido durante 1 hora.

5 Mientras tanto, ralle la piel de la naranja, el limón y la lima. Incorpore la ralladura en la pasta, amasando.

6 Divida la pasta en 2 bolas, una más grande que la otra.

7 Ponga la bola más grande sobre la bandeja de hornear y coloque la otra encima.

8 Con el dedo enharinado, haga un agujero en el centro de la pasta. Cúbrala y déjela leudar durante unos 40 minutos, o hasta que esté esponjosa al tacto.

9 Cueza el pan en el horno precalentado a 220 °C durante 35 minutos. Retírelo del horno y píntelo con la miel.

5

6

8

Pan dulce de mango

La pasta de este pan dulce incorpora un puré de mango, lo que lo convierte en un manjar jugoso y de sabor exótico.

Para 1 pan

INGREDIENTES

450 g de harina para pan
1 cucharada de sal
1 sobre de levadura seca de fácil disolución
1 cucharadita de jengibre molido
50 g de azúcar moreno fino
40 g de mantequilla troceada
1 mango pequeño, pelado, deshuesado y triturado
250 ml de agua tibia
2 cucharadas de miel bastante líquida
125 g de sultanas
1 huevo batido
azúcar glasé, para espolvorear

1 Engrase una bandeja para el horno. Tamice la harina y la sal en un cuenco grande; añada la levadura seca, el jengibre molido y el azúcar moreno. Incorpore la mantequilla con los dedos.

2 Añada el puré de mango, el agua y la miel, y mézclelo todo bien hasta formar una pasta.

3 Póngala sobre una superficie enharinada y amásela durante unos 5 minutos, hasta que esté suave (también puede utilizar el robot de cocina equipado con el accesorio adecuado). Coloque la pasta en un cuenco engrasado, cúbrala y déjela leudar en un lugar cálido durante 1 hora, o hasta que haya doblado su volumen.

4 Incorpore las sultanas, amase y forme 2 cilindros de unos 25 cm de largo. Con cuidado enrósquelos juntos y pellizque los extremos para unirlos. Coloque la pasta sobre la bandeja preparada, cúbrala y déjela leudar en un lugar cálido durante 40 minutos más.

5 Pinte el pan con el huevo y cuézalo en el horno precalentado a 220 °C, durante unos 30 minutos o hasta que esté dorado. Deje que se enfríe sobre una rejilla metálica. Espolvoréelo con azúcar glasé antes de servirlo.

SUGERENCIA

Sabrá que el pan ya está cocido cuando suene a hueco al golpear ligeramente la base.

1

1

2

Pan de chocolate

A los entusiastas del chocolate, elaborar este pastel les resultará casi tan placentero como comérselo.

Para 1 pan

INGREDIENTES

450 g de harina para pan
25 g de cacao en polvo
1 cucharadita de sal
1 sobre de levadura seca de fácil disolución
25 g de azúcar moreno fino
1 cucharada de aceite
300 ml de agua tibia

1 Engrase ligeramente un molde rectangular de 1 litro de capacidad.

2 Tamice la harina y el cacao en polvo en un cuenco grande.

3 Añada la sal, la levadura seca y el azúcar moreno.

4 Agregue el aceite junto con el agua tibia, y mezcle bien los ingredientes para formar una pasta.

5 Colóquela sobre una superficie ligeramente enharinada y amásela 5 minutos.

6 Ponga la pasta en un cuenco engrasado, cúbrala y déjela fermentar en un lugar cálido durante 1 hora, o hasta que haya doblado su volumen.

7 Vuelva a amasarla, golpeando ligeramente para que expulse el aire de la fermentación, y déle forma de pan. Deposítela en el molde, cúbrala y déjela fermentar en un lugar cálido 30 minutos más.

8 Cueza el pan en el horno precalentado a 200 °C, unos 25-30 minutos o hasta que suene a hueco al golpear ligeramente la base.

9 Deje que se enfríe sobre una rejilla metálica. Para servirlo, corte el pan en rebanadas.

SUGERENCIA

Puede untar las rebanadas con mantequilla, o bien tostarlas ligeramente.

2

4

7

Pan irlandés

Es mejor consumir esta variación del tradicional pan irlandés el mismo día en que se hornea.

Para 1 pan

INGREDIENTES

300 g de harina integral
300 g de harina blanca
2 cucharaditas de levadura en polvo
1 cucharadita de bicarbonato sódico
2 cucharadas de azúcar lustre
1 cucharadita de sal
1 huevo batido
425 ml de yogur natural

1 Engrase y enharine una bandeja para el horno.

2 En un cuenco grande, tamice los dos tipos de harina, la levadura en polvo, el bicarbonato, el azúcar y la sal.

3 En un recipiente, bata el huevo con el yogur, y viértalo sobre los ingredientes secos. Mézclelo todo bien hasta obtener una pasta suave y pegajosa.

4 Amase la pasta sobre una superficie ligeramente enharinada durante unos minutos, hasta que se ablande, y luego forme un redondel de unos 5 cm de grosor.

5 Disponga la pasta en la bandeja para el horno. Haga una cruz con un cuchillo en la parte superior.

6 Cueza el pan en el horno precalentado a 190 °C durante unos 40 minutos, o hasta que esté dorado.

7 Deje que se enfríe sobre una rejilla metálica, y después sírvalo cortado en rebanadas.

VARIACIÓN

Si desea elaborar una versión afrutada de este pan irlandés, añada 125 g de pasas a los ingredientes secos en el paso 2.

Pan con especias

Sirva este pan recién sacado del horno para acompañar una sopa en un almuerzo o cena ligeros.

Para 1 pan

INGREDIENTES

- 225 g de harina de fuerza
- 100 g de harina normal
- 1 cucharadita de levadura en polvo
- 1/4 de cucharadita de sal
- 1/4 de cucharadita de cayena molida
- 2 cucharaditas de curry en polvo
- 2 cucharaditas de semillas de amapola
- 25 g de mantequilla troceada
- 150 ml de leche
- 1 huevo batido

1 Engrase una bandeja para el horno con mantequilla.

2 Tamice las harinas en un cuenco grande, con la levadura en polvo, la sal, la cayena, el curry en polvo y las semillas de amapola.

3 Incorpore la mantequilla con los dedos y mezcle bien todos los ingredientes.

4 Agregue la leche y el huevo batido, y mezcle para formar una pasta suave.

5 Sobre una superficie ligeramente enharinada, amase la pasta unos minutos con suavidad.

6 Forme un redondel y haga una cruz con un cuchillo en la parte superior.

7 Cueza el pan en el horno precalentado a 190 ºC, durante unos 45 minutos.

8 Ponga el pan sobre una rejilla metálica y deje que se enfríe. Sírvalo en trozos o rebanado.

SUGERENCIA

Si le parece que el pan se dora demasiado antes de tiempo, acabe de cocerlo cubierto con una hoja de papel de aluminio.

3

4

6

Pan de maíz con guindilla

Este pan de maíz al estilo mexicano acompañará a las mil maravillas algún plato aderezado con salsa de guindilla, pero también se puede comer solo; en este caso constituirá un sabroso tentempié.

Para 12 porciones

INGREDIENTES

25 g de harina
125 g de polenta
1 cucharada de levadura en polvo
1/2 cucharadita de sal
1 guindilla verde, despepitada y finamente picada
5 cebolletas finamente picadas
2 huevos
140 g de crema agria
125 ml de aceite de girasol

1 Engrase un molde cuadrado de 20 cm y forre la base con papel vegetal.

2 En un cuenco grande, mezcle la harina con la polenta, la levadura en polvo y la sal.

3 Añada la guindilla y la cebolleta y mézclelo todo bien.

4 En un recipiente, bata los huevos con la crema agria y el aceite de girasol. Vierta la mezcla sobre los ingredientes secos. Mezcle con rapidez hasta obtener una pasta uniforme.

5 Vierta la pasta en el molde preparado.

6 Cueza el pan en el horno precalentado a 200 °C, durante unos 20-25 minutos o hasta que haya subido y esté ligeramente dorado.

7 Deje que se enfríe un poco antes de desmoldarlo. Para servirlo, córtelo en porciones alargadas o cuadradas.

VARIACIÓN

Si lo desea, añada 125 g de maíz de lata escurrido a la mezcla en el paso 3.

3

4

4

Pan de queso y patata

Este estupendo pan con sabor a queso es ideal para un refrigerio rápido. El puré de patata le aporta una agradable y jugosa textura.

Para 4 personas

INGREDIENTES

225 g de harina
1 cucharadita de sal
½ cucharadita de mostaza en polvo
2 cucharaditas de levadura en polvo
125 g de queso red leicester rallado
175 g de patatas, cocidas y trituradas
200 ml de agua
1 cucharada de aceite

1 Engrase ligeramente una bandeja para el horno.

2 En un cuenco, tamice la harina, la sal, la mostaza en polvo y la levadura.

3 Reserve 2 cucharadas de queso rallado e incorpore el resto en el cuenco, con el puré de patata.

4 Vierta el agua y el aceite y remueva bien (en este punto, la mezcla estará húmeda). Mezcle bien hasta formar una pasta suave.

5 Coloque la pasta sobre una superficie enharinada y forme un redondel de 20 cm de diámetro.

6 Póngalo sobre la bandeja preparada y marque las 4 porciones con un cuchillo, sin llegar a atravesar la pasta. Espolvoree con el queso reservado.

7 Cueza el pan en el horno precalentado a 220 °C, durante unos 25-30 minutos.

8 Deje que el pan se enfríe un poco sobre una rejilla metálica, pero sírvalo cuanto antes.

SUGERENCIA

Si lo desea, puede utilizar puré de patatas instantáneo.

VARIACIÓN

Si le gusta, puede añadir a la mezcla 50 g de jamón en dulce picado en el paso 3.

3

4

6

Pan de queso y jamón en dulce

Este sabroso pan es muy rápido de preparar. Como se utilizan harina de fuerza y levadura en polvo, se garantiza que suba, pero una vez incorporados los ingredientes líquidos, hay que trabajar con rapidez.

Para 6 personas

INGREDIENTES

225 g de harina de fuerza
1 cucharadita de sal
2 cucharaditas de levadura en polvo
1 cucharadita de pimentón
75 g de mantequilla troceada
125 g de queso de sabor fuerte, rallado
75 g de jamón en dulce ahumado, picado
2 huevos batidos
150 ml de leche

1 Engrase un molde rectangular de 1/2 litro de capacidad y forre la base con papel vegetal.

2 En un cuenco, tamice la harina, la sal, la levadura y el pimentón.

3 Añada la mantequilla y trabaje con las manos hasta obtener una consistencia del pan rallado. Agregue el queso y el jamón.

4 Vierta el huevo batido y la leche sobre los ingredientes secos, y mezcle bien.

5 Disponga la pasta en el molde preparado.

6 Cueza el pan en el horno precalentado a 180 °C, aproximadamente 1 hora o hasta que haya subido.

7 Deje que se enfríe un poco, y después sáquelo del molde y colóquelo sobre una rejilla metálica para que se entibie un poco más.

8 Sirva el pan cortado en rebanadas gruesas.

SUGERENCIA

Es mejor consumir este sabroso pan el mismo día en que se hornea, pues no se conserva demasiado bien.

VARIACIÓN

Este pan se puede elaborar con cualquier tipo de queso rallado; si lo prefiere, use uno más suave.

3

4

4

PIMENTON

Pan de queso y cebollino

He aquí un pan de rápida preparación con un intenso sabor a queso. Para disfrutarlo al máximo, se recomienda consumirlo lo más fresco posible.

Para 8 personas

INGREDIENTES

225 g de harina de fuerza
1 cucharadita de sal
1 cucharadita de mostaza en polvo
100 g de queso de sabor fuerte, rallado
2 cucharadas de cebollino fresco picado
1 huevo batido
25 g de mantequilla derretida
150 ml de leche

1 Engrase un molde cuadrado de 23 cm y forre la base con papel vegetal.

2 Tamice la harina, la sal y la mostaza en polvo en un cuenco grande.

3 Reserve 3 cucharadas de queso rallado para espolvorear el pan antes de introducirlo en el horno.

4 Incorpore el resto del queso en la mezcla de ingredientes secos, junto con el cebollino. Mézclelo todo bien.

5 Vierta el huevo batido, la mantequilla fundida y la leche, y mezcle hasta obtener una pasta homogénea.

6 Extiéndala en el molde con una espátula. Espolvoree con el queso rallado reservado.

7 Cueza el pan en el horno precalentado a 190 °C, durante unos 30 minutos.

8 Deje que se enfríe un poco en el molde y luego desmóldelo sobre una rejilla. Para servirlo, córtelo en triángulos.

SUGERENCIA

Para elaborar este pan, puede utilizar cualquier tipo de queso duro y de sabor fuerte.

4

5

6

Panecillos al aroma de ajo

Estos panecillos no tienen nada que ver con el pan de ajo que se compra en las tiendas. Tienen un sabor sutil y una textura suave.

Para 8 panecillos

INGREDIENTES

12 dientes de ajo, pelados
350 ml de leche
450 g de harina para pan
1 cucharadita de sal
1 sobre de levadura seca de fácil disolución
1 cucharada de hierbas secas variadas
2 cucharadas de aceite de girasol
1 huevo batido
leche, para pintar
sal gema, para espolvorear

1 Engrase una bandeja para el horno. Ponga los dientes de ajo y la leche en un cazo, llévelo a ebullición y cuézalo a fuego lento 15 minutos. Deje que se entibie y a continuación bátalo en una batidora o picadora.

2 Tamice la harina y la sal en un cuenco grande, y añada la levadura seca y las hierbas.

3 Vierta la leche con sabor a ajo, el aceite de girasol y el huevo batido sobre los ingredientes secos, y mezcle bien hasta formar una pasta.

4 Coloque la pasta sobre una superficie de trabajo ligeramente enharinada y amásela con delicadeza unos minutos, hasta que esté suave y blanda.

5 Ponga la pasta en un cuenco engrasado, cúbrala y déjela leudar en un lugar cálido 1 hora, o hasta que doble su volumen.

6 Amásela y golpéela ligeramente durante 2 minutos para que expulse el aire. Forme 8 panecillos y colóquelos sobre la bandeja. Haga una incisión en la parte superior, y déjelos leudar 15 minutos.

7 Pinte los panecillos con leche y espolvoree con sal gema.

8 Cuézalos en el horno precalentado a 220 °C, durante unos 15-20 minutos.

9 antes de servirlos, deje que los panecillos se enfríen sobre una rejilla metálica.

SUGERENCIA

Si lo desea, espolvoree los panecillos también con 1 diente de ajo finamente picado en el paso 7.

1

3

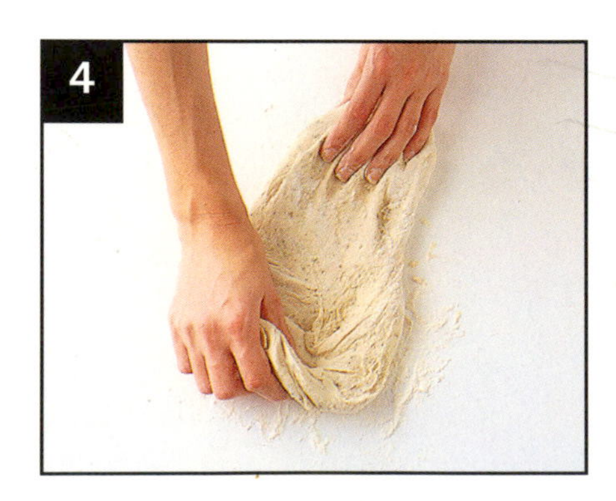

Mini focaccias

Éste es un delicioso pan italiano que se elabora con aceite de oliva.

Para 4 panes

INGREDIENTES

350 g de harina para pan
½ cucharadita de sal
1 sobre de levadura seca de fácil disolución
2 cucharadas de aceite de oliva
250 ml de agua tibia
100 g de aceitunas verdes o negras, cortadas por la mitad

COBERTURA:
2 cebollas rojas cortadas en rodajas
2 cucharadas de aceite de oliva
1 cucharadita de sal marina
1 cucharada de hojas de tomillo

1 Engrase ligeramente una bandeja para el horno. Tamice la harina y la sal en un cuenco grande, y después añada la levadura. Vierta el aceite y el agua tibia, y mezcle bien para formar una pasta.

2 Sobre una superficie ligeramente enharinada, amásela durante unos 10 minutos (puede hacerlo también con el robot de cocina, equipado con el accesorio adecuado, 7-8 minutos).

3 Ponga la pasta en un cuenco engrasado, cúbrala y déjela en un lugar cálido 1-1½ horas, hasta que haya doblado su volumen. Amásela 1-2 minutos, golpeándola ligeramente para que expulse el aire de la fermentación.

4 Incorpore en la pasta la mitad de las aceitunas. Divídala en 4 porciones y forme redondeles. Póngalos sobre la bandeja y, con el dedo, haga unos pequeños hoyos.

5 Para la cobertura, extienda por encima de la pasta la cebolla roja y el resto de las aceitunas. Rocíe con el aceite de oliva y esparza la sal marina y las hojas de tomillo. Cubra las *focaccias* y déjelas fermentar durante 30 minutos.

6 Cueza las *focaccias* en el horno precalentado a 190 °C durante unos 20-25 minutos, o hasta que estén cocidas y doradas.

7 Antes de servirlas, deje que se enfríen sobre una rejilla.

VARIACIÓN

Si lo prefiere, puede hacer 1 sola focaccia *grande.*

4

4

5

Panecillos con tomate secado al sol

Estos panecillos llevan incorporados trocitos de tomates secados al sol. Este tipo de tomate se conserva en aceite, en tarros que se compran en la mayoría de los supermercados.

Para 8 personas

INGREDIENTES

225 g de harina para pan
$^{1}/_{2}$ cucharadita de sal
1 sobre de levadura seca de fácil disolución
100 g de mantequilla, derretida y ligeramente enfriada
3 cucharadas de leche caliente
2 huevos batidos
50 g de tomates secados al sol, bien escurridos y picados muy finos
leche, para glasear

1 Engrase ligeramente una bandeja para el horno.

2 Tamice la harina y la sal en un cuenco grande. Añada la levadura y después la mantequilla, la leche y el huevo. Mezcle bien para formar una pasta.

3 Amase la pasta sobre una superficie enharinada, 5 minutos (puede hacerlo también con el robot de cocina, equipado con el accesorio adecuado).

4 Ponga la pasta en un cuenco engrasado, cúbrala y déjela leudar en un lugar cálido durante 1-1$^{1}/_{2}$ horas, hasta que haya doblado su volumen. Amásela unos minutos más y golpéela ligeramente para que expulse todo el aire.

5 Incorpore el tomate picado en la pasta, espolvoreando un poco más de harina en la superficie de trabajo, porque los tomates son bastante aceitosos.

6 Divida la pasta en 8 bolas y colóquelas sobre la bandeja de hornear. Cúbralas y deje que fermenten otros 30 minutos, hasta que su volumen haya doblado.

7 Pinte los panecillos con leche y cuézalos en el horno precalentado a 230 °C durante unos 10-15 minutos, hasta que estén dorados.

8 Deje enfriar ligeramente los panecillos sobre una rejilla metálica antes de servirlos.

SUGERENCIA

La levadura de fácil disolución que se emplea en esta receta se encuentra en casi todos los supermercados.

Cruasanes con tomillo

Estas pastas saladas son muy parecidas a cruasanes, y quedan perfectas como rápido y sabroso tentempié. También se les puede dar una forma enroscada, si se prefiere.

Para 8 pastas

INGREDIENTES

250 g de pasta de hojaldre preparada
100 g de mantequilla ablandada
1 diente de ajo machacado
1 cucharadita de zumo de limón
1 cucharadita de tomillo seco
sal y pimienta

1 Engrase ligeramente una bandeja para el horno.

2 Sobre una superficie enharinada, extienda la pasta con el rodillo en un círculo de 25 cm de diámetro, y córtelo en 8 triángulos.

3 En un bol pequeño, mezcle la mantequilla ablandada con el ajo, el zumo de limón y el tomillo, hasta que esté suave. Salpimente.

4 Extienda un poco de la mezcla de mantequilla y tomillo sobre cada triángulo de pasta, distribuyéndola uniformemente.

5 Con cuidado, enrolle los triángulos, empezando por el lado más ancho.

6 Coloque los cruasanes sobre la bandeja engrasada y déjelos 30 minutos en la nevera.

7 Humedezca la bandeja de hornear con agua fría para que, durante la cocción, el vapor ayude a que la pasta suba.

8 Cueza los cruasanes en el horno precalentado a 200 °C, durante unos 10-15 minutos o hasta que hayan subido y estén dorados.

SUGERENCIA

Las hierbas secas tienen un sabor más intenso que las frescas, lo que las hace ideales para elaborar estas pastas. Puede utilizar algún otro tipo de hierba de su elección, como romero y salvia, o bien una mezcla de varias.

Bollos de queso y mostaza

La mezcla de queso rallado y mostaza da a estos bollos caseros un sabor interesante.

Para 8 bollos

INGREDIENTES

225 g de harina de fuerza
1 cucharadita de levadura en polvo
una pizca de sal
50 g de mantequilla troceada
125 g de queso de sabor fuerte, rallado
1 cucharadita de mostaza en polvo
150 ml de leche
pimienta

1 Engrase ligeramente una bandeja para el horno.

2 En un cuenco, tamice la harina, la levadura en polvo y la sal. Incorpore la mantequilla y trabaje con las manos hasta obtener una consistencia de pan rallado.

3 Añada el queso rallado y la mostaza, y leche suficiente para formar una pasta suave.

4 Amásela con suavidad sobre una superficie enharinada. A continuación, aplane la pasta con la palma de la mano en un redondel de 2,5 cm de grosor.

5 Con un cuchillo, corte la pasta en 8 porciones. Píntelas con un poco de leche y espolvoréelas con pimienta, al gusto.

6 Cueza los bollos en el horno precalentado a 220 °C, durante unos 10-15 minutos o hasta que estén bien dorados.

7 Deje que los bollos se enfríen sobre una rejilla metálica antes de servirlos.

SUGERENCIA

Estos bollos son mucho mejores recién hechos, en especial abiertos por la mitad y untados con mantequilla

Galletas de queso

Estas galletas saladas tienen un delicioso sabor a mantequilla. Para que resulten más sabrosas, se recomienda utilizar un queso fuerte.

Para unas 35 galletas

INGREDIENTES

150 g de harina
150 g de queso de sabor fuerte, rallado
150 g de mantequilla troceada
1 yema de huevo
semillas de sésamo, para espolvorear

1 Engrase ligeramente varias bandejas para el horno.

2 En un cuenco, mezcle la harina con el queso rallado.

3 Incorpore la mantequilla y trabaje con los dedos hasta que todo esté bien mezclado.

4 Agregue la yema de huevo y mezcle para formar una pasta. Envuélvala y deje que se enfríe en la nevera unos 30 minutos.

5 Con el rodillo, extienda la pasta sobre una superficie enharinada. Con un cortapastas, recorte redondeles de 6 cm; vuelva a amasar y extender los recortes hasta obtener unos 35 discos.

6 Coloque los discos sobre las bandejas y espolvoréelos con las semillas de sésamo.

7 Cueza las galletas en el horno precalentado a 200 °C, unos 20 minutos, hasta que estén ligeramente doradas.

8 Antes de servirlas, deje que se enfríen ligeramente sobre una rejilla metálica.

SUGERENCIA

Puede cortar las galletas con la forma que desee; a los niños les encantará ayudar a recortar formas de animales u otras divertidas.

3

5

6

Galletas saladas al curry

Cada vez que prepare estas galletas, pruebe con distintas intensidades de sabor de curry hasta que encuentre la más adecuada a su gusto.

Para unas 40 galletas

INGREDIENTES

100 g de harina
1 cucharadita de sal
2 cucharaditas de curry en polvo
100 g de queso cheshire rallado
100 g de queso parmesano rallado
100 g de mantequilla ablandada

1 Engrase ligeramente unas 4 bandejas para el horno.

2 Tamice la harina y la sal en un cuenco grande.

3 Añada el curry en polvo y los quesos rallados. Incorpore la mantequilla trabajando con las manos hasta obtener una pasta suave.

4 Con el rodillo, extienda la pasta bien fina sobre una superficie ligeramente enharinada y forme un rectángulo.

5 Con un cortapastas de 5 cm de diámetro, y volviendo a amasar cada vez los recortes, corte 40 discos.

6 Disponga los redondeles sobre las bandejas de hornear.

7 Cueza las galletas en el horno precalentado a 180 °C durante unos 10-15 minutos.

8 Deje que las galletas se enfríen ligeramente en las bandejas. Antes de servirlas, deje que se acaben de enfriar y poner crujientes en una rejilla metálica.

SUGERENCIA

Estas galletas se conservan varios días en una lata bien cerrada o en una fiambrera de plástico.

3

4

5

Pudín de queso

Este sabroso pudín de queso tiene una textura muy parecida a la de un soufflé, pero la pasta no sube como en el tradicional plato francés.

Para 4 personas

INGREDIENTES

150 g de pan rallado
100 g de queso gruyère, rallado
150 ml de leche tibia
125 g de mantequilla derretida
2 huevos, con las yema separada de la clara
2 cucharadas de perejil fresco picado
sal y pimienta

1 Engrase una fuente para el horno de 1 litro de capacidad.

2 En un cuenco, mezcle el pan rallado con el queso.

3 Vierta la leche y remueva para mezclar. Añada la mantequilla, las yemas de huevo y el perejil, y salpimente al gusto. Mezcle bien.

4 Bata las claras a punto de nieve y, con cuidado, incorpórelas en la mezcla de queso.

5 Vierta la pasta en la fuente preparada.

6 Cueza el pudín en el horno precalentado a 190 °C, unos 45 minutos o hasta que esté dorado y haya subido ligeramente, y cuando al insertar un pincho de cocina en el centro, salga limpio.

7 Sirva el pudín de queso caliente, acompañado con una ensalada verde.

VARIACIÓN

Si lo desea, puede sustituir el gruyère por cualquier otro tipo de queso de sabor fuerte que le guste o que tenga a mano.

SUGERENCIA

Una alternativa a esta receta ligeramente más saludable sería utilizar pan rallado integral en lugar de blanco.

2

4

4

Pequeñas empanadas de queso y cebolla

Estas crujientes empanadas están rellenas con una sabrosa mezcla de cebolla, ajo y perejil, y resultan una comida ideal para llevar, al trabajo o al campo.

Para 4 empanadas

INGREDIENTES

3 cucharadas de aceite vegetal
4 cebollas, peladas y cortadas en rodajas finas
4 dientes de ajo machacados
4 cucharadas de perejil fresco picado
75 g de queso de sabor fuerte, rallado
sal y pimienta

PASTA:
175 g de harina
1/2 cucharadita de sal
100 g de mantequilla troceada
3-4 cucharadas de agua

1 Caliente el aceite en una sartén y fría la cebolla y el ajo durante 10-15 minutos, hasta que la cebolla se haya ablandado. Retire la sartén del fuego y añada el perejil y el queso. Salpimente al gusto.

2 Para hacer la pasta, tamice la harina y la sal en un cuenco. Incorpore la mantequilla y trabaje con los dedos hasta obtener una consistencia de pan rallado. Añada el agua y forme una pasta.

3 Con el rodillo, extienda la pasta sobre una superficie enharinada y divídala en 8 bolas.

4 Extienda cada una de ellas en un redondel de 10 cm. Con la mitad, forre 4 moldes individuales.

5 Ponga sobre la pasta una cuarta parte del sofrito de cebolla con queso. Cúbralo con los redondeles restantes. Haga una incisión en la parte superior de cada empanada con la punta de un cuchillo, y selle los bordes con el mango de una cucharita.

6 En el horno precalentado a 200 °C, cuézalas 20 minutos. Sírvalas frías o calientes.

SUGERENCIA

Puede preparar el relleno de cebolla con antelación y guardarlo en la nevera hasta que lo necesite.

Tarta Tatin de cebolla roja

La pasta de hojaldre preparada resulta perfecta para esta receta, lo que significa que esta sabrosa tarta se puede hacer en muy poco tiempo.

Para 4 personas

INGREDIENTES

50 g de mantequilla
25 g de azúcar
500 g de cebollas rojas, peladas y cortadas en cuartos
3 cucharadas de vinagre de vino tinto
2 cucharadas de hojas de tomillo fresco
sal y pimienta
250 g de pasta de hojaldre preparada

1 Ponga la mantequilla y el azúcar en una sartén de 23 cm de diámetro que pueda ir al horno y derrítalos a fuego medio.

2 Incorpore la cebolla y rehogue a fuego lento durante 10-15 minutos, hasta que se dore, removiendo de vez en cuando.

3 Agregue el vinagre y el tomillo, salpimente al gusto y cuézalo a temperatura media hasta que el líquido se haya reducido y los trozos de cebolla estén recubiertos con la salsa de mantequilla.

4 Sobre una superficie enharinada, extienda la pasta de hojaldre y forme un redondel algo más grande que la sartén.

5 Cubra con la pasta la preparación de cebolla; presione los bordes para sellar bien.

6 Cueza la tarta en el horno precalentado a 180 °C, durante 20-25 minutos. Deje que se enfríe unos 10 minutos.

7 Para servirla, coloque un plato sobre la sartén y, con cuidado, déle la vuelta, para que la pasta se convierta en la base de la tarta y la cebolla quede encima. Sírvala caliente.

VARIACIÓN

Si lo desea, puede sustituir la cebolla roja cortada en cuartos por chalotes enteros.

Empanada de hojaldre con patatas

Esta empanada de suculento relleno es una estupenda alternativa a una guarnición de patatas para acompañar cualquier comida. También se puede servir con ensalada para un almuerzo ligero.

Para 6 personas

INGREDIENTES

750 g de patatas, peladas y cortadas en rodajas finas
2 cebolletas picadas finas
1 cebolla roja picada fina
150 ml de nata líquida espesa
500 g de pasta de hojaldre preparada
2 huevos batidos
sal y pimienta

1 Engrase una bandeja para el horno. En una cazuela, lleve agua a ebullición, ponga las patatas, vuelva a dejar que hierva y después sancóchelas a fuego suave unos minutos. Escurra las patatas y deje que se enfríen. Seque el exceso de humedad con papel absorbente.

2 En un cuenco grande, mezcle la cebolleta, la cebolla roja y las rodajas de patata. Añada 2 cucharadas de nata líquida y sazone generosamente.

3 Divida la pasta en dos y extienda las dos mitades para formar un redondel de 23 cm y otro de 25 cm.

4 Coloque el redondel más pequeño sobre la bandeja de hornear y ponga encima el relleno de patata, dejando un reborde libre de 2,5 cm. Pinte este reborde con un poco de huevo batido.

5 Ponga el otro redondel de pasta encima, selle bien y pellizque los bordes. Haga un agujero en el centro de la tapa para que pueda salir el vapor y, con el dorso de un cuchillo, haga un dibujo. Píntela con huevo batido y cueza la empanada en el horno precalentado a 200 °C, durante unos 30 minutos.

6 Mezcle el resto del huevo con el resto de la nata líquida y viértalo dentro de la empanada por el agujero. Vuelva a introducirla en el horno cuézala otros 15 minutos. Deje que se entibie 30 minutos. Sírvala fría o caliente.

SUGERENCIA

Puede preparar el relleno con hasta 4 horas de antelación.

2

3

4

Hojaldres de tomate fresco

Para disfrutar al máximo de la textura y el sabor de la pasta de hojaldre, estas tartas de tomate deben consumirse recién hechas.

Para 6 personas

INGREDIENTES

- 250 g de pasta de hojaldre preparada
- 1 huevo batido
- 2 cucharadas de salsa pesto
- 6 tomates pera cortados en rodajas
- sal y pimienta
- hojas de tomillo fresco, para adornar (opcional)

1 Con el rodillo, extienda la pasta sobre una superficie ligeramente enharinada y forme un rectángulo de 30 x 25 cm.

2 Córtelo por la mitad y divida cada mitad en 3 trozos, para obtener 6 rectángulos iguales. Déjelos en la nevera 20 minutos.

3 Haga pequeñas incisiones en los bordes de los rectángulos y píntelos con el huevo batido.

4 Extienda el pesto en el centro de los rectángulos, de manera uniforme, dejando un reborde libre de 2,5 cm.

5 Disponga las rodajas de tomate en el centro de cada rectángulo, sobre el pesto.

6 Sazone con sal y pimienta al gusto y espolvoree con un poco de tomillo, si lo desea.

7 Cueza los hojaldres en el horno precalentado a 200 °C durante unos 15-20 minutos, hasta que la pasta haya subido y esté dorada.

8 Disponga las tartas en platos individuales en cuanto las saque del horno, y sírvalas mientras todavía estén muy calientes.

VARIACIÓN

En lugar de pastas individuales, también puede hacer una sola tarta grande: extienda igualmente el pesto y disponga las rodajas de tomate por encima.

3

4

5

Tarta provenzal

Esta tarta está repleta del color y el sabor que aportan el calabacín y los pimientos rojo y verde. Es una alternativa saludable a la quiche lorraine .

Para 6-8 personas

INGREDIENTES

250 g de pasta de hojaldre preparada
3 cucharadas de aceite de oliva
2 pimientos rojos, despepitados y cortados en dados
2 pimientos verdes, despepitados y cortados en dados
150 ml de nata líquida espesa
1 huevo
2 calabacines cortados en rodajas
sal y pimienta

1 Con el rodillo, extienda la pasta sobre una superficie ligeramente enharinada y forre con ella un molde para tarta, acanalado y redondo, de 20 cm. Déjelo en la nevera 20 minutos.

2 Mientras tanto, en una sartén, caliente 2 cucharadas de aceite de oliva y rehogue el pimiento unos 8 minutos, hasta que se ablande, removiendo a menudo.

3 En un cuenco, bata la nata líquida con el huevo y salpimente al gusto. Incorpore el pimiento rehogado.

4 Caliente el resto del aceite en una sartén y saltee las rodajas de calabacín durante unos 4-5 minutos, hasta que estén ligeramente doradas.

5 Vierta en el centro del molde la mezcla de huevo y pimiento.

6 Coloque las rodajas de calabacín alrededor, siguiendo el borde de la tarta.

7 Cuézala en el horno precalentado a 180 °C unos 35-40 minutos, o hasta que haya cuajado y esté dorada.

SUGERENCIA

Con los mismos ingredientes puede hacer 6 tartaletas individuales en moldes pequeños. En ese caso, hornee sólo unos 20 minutos.

1

Tartitas de apio y cebolla

Dado que estas tartitas son irresistibles, recomendamos preparar el doble de cantidad.

Para 12 tartaletas

INGREDIENTES

PASTA:
- 125 g de harina
- 1/2 cucharadita de sal
- 25 g de mantequilla troceada
- 25 g de queso de sabor fuerte, rallado
- 3-4 cucharadas de agua

RELLENO:
- 50 g de mantequilla
- 125 g de apio finamente picado
- 2 dientes de ajo machacados
- 1 cebolla pequeña finamente picada
- 1 cucharada de harina
- 50 ml de leche
- sal
- una pizca cayena molida

1 Para el relleno, derrita la mantequilla en una sartén y rehogue el apio con el ajo y la cebolla a fuego suave 5 minutos, o hasta que se ablanden.

2 Baje la temperatura; añada la harina y vierta la leche. Suba un poco el fuego y caliéntelo, hasta que se espese, removiendo con frecuencia.

3 Sazone con sal y cayena. Deje que se enfríe.

4 Para hacer la pasta, tamice la harina y la sal en un cuenco e incorpore la mantequilla con los dedos. Añada el queso y el agua fría, y amase hasta formar una pasta.

5 Extienda 3/4 partes de la pasta sobre una superficie ligeramente enharinada. Con un cortapastas de 6 cm de diámetro, recorte 12 redondeles. Forre con ellos los huecos de un molde múltiple.

6 Divida el relleno entre las bases. Extienda el resto de la pasta y, con un cortapastas de 5 cm, recorte 12 círculos. Coloque estos redondeles sobre el relleno y selle bien los bordes. Haga una incisión en cada tartita y déjelas en la nevera 30 minutos.

7 Cuézalas en el horno precalentado a 220 °C, unos 15-20 minutos. Deje que se enfríen en el molde durante 10 minutos antes de servirlas, calientes.

2

6

6

Tarta de espárragos y queso de cabra

Ahora, en el mercado, se encuentran espárragos frescos durante todo el año. Por lo tanto, este sabroso plato se podrá preparar para la cena en cualquier época.

Para 6 personas

INGREDIENTES

- 250 g de pasta quebrada preparada
- 250 g de espárragos trigueros
- 1 cucharada de aceite vegetal
- 1 cebolla roja, finamente picada
- 25 g de avellanas picadas
- 2 huevos batidos
- 200 g de queso de cabra
- 4 cucharadas de nata líquida
- sal y pimienta

1 Con el rodillo, extienda la pasta sobre una superficie enharinada. Forre con ella un molde para tarta acanalado de 24 cm de diámetro. Pinche la base de la pasta con un tenedor y déjela 30 minutos en la nevera.

2 Forre la pasta con papel de aluminio y esparza pesos por encima. Cuézala en el horno precalentado a 190 °C durante unos 15 minutos.

3 Retire el papel de aluminio y los pesos, y cuézala otros 15 minutos.

4 Hierva los espárragos durante 2-3 minutos, escúrralos y córtelos en trocitos.

5 Caliente el aceite en una sartén pequeña y fría la cebolla hasta que esté blanda y ligeramente dorada. Ponga cucharadas de espárragos, cebolla y avellana en la base de la tarta.

6 A mano o en una batidora, bata los huevos con el queso y la nata líquida hasta obtener una crema suave. Salpimente bien y viértala sobre el relleno de espárragos, cebolla y avellana.

7 Hornee la tarta durante 15-20 minutos, o hasta que el relleno de queso haya cuajado. Sírvala caliente o fría.

VARIACIÓN

Si lo prefiere, omita la avellana y espolvoree la tarta con queso parmesano rallado antes de introducirla en el horno.

Tarta de cebolla

Esta extraordinaria tarta con queso y cebolla, al mismo tiempo es crujiente, debido a la masa, y se deshace en la boca.

Para 6 personas

INGREDIENTES

250 g de pasta quebrada preparada
40 g de mantequilla
75 g de beicon picado
700 g de cebollas, peladas y cortadas en rodajas finas
2 huevos batidos
50 g de queso parmesano rallado
1 cucharadita de salvia seca
sal y pimienta

1 Con el rodillo, extienda la pasta sobre una superficie enharinada. Forre con ella un molde para tarta acanalado de 24 cm de diámetro.

2 Pinche la base de la pasta con un tenedor y déjela 30 minutos en la nevera.

3 En una cazuela, caliente la mantequilla y rehogue el beicon con la cebolla durante 25 minutos, hasta que la cebolla esté tierna. Si se empieza a dorar demasiado, añada 1 cucharada de agua.

4 Incorpore en el sofrito de cebolla el huevo batido, y a continuación el queso y la salvia. Salpimente al gusto.

5 Vierta la mezcla en la base de la tarta.

6 Cueza la tarta en el horno precalentado a 180 °C, durante unos 20-30 minutos o hasta que el relleno haya cuajado.

7 Deje que la tarta se enfríe ligeramente en el molde antes de desmoldarla. Se puede servir caliente o fría.

VARIACIÓN

Para una versión vegetariana, sustituya el beicon por la misma cantidad de champiñones picados.

2

3

5

Pissaladière

Esta clásica variación provenzal de la pizza italiana se elabora con pasta de hojaldre. Resulta perfecta para una comida al aire libre.

Para 8 personas

INGREDIENTES

- 4 cucharadas de aceite de oliva
- 700 g de cebollas rojas, cortadas en rodajitas finas
- 2 dientes de ajo machacados
- 2 cucharaditas de azúcar lustre
- 2 cucharadas de vinagre de vino tinto
- sal y pimienta
- 350 g de pasta de hojaldre preparada
- 2 latas de 50 g de filetes de anchoa
- 12 aceitunas verdes deshuesadas
- 1 cucharadita de mejorana seca

1 Engrase una bandeja para el horno. Caliente el aceite en una cazuela grande y rehogue la cebolla y el ajo a fuego lento durante unos 30 minutos, removiendo de vez en cuando.

2 Incorpore el azúcar y el vinagre y salpimente generosamente.

3 Con el rodillo, extienda la pasta sobre una superficie enharinada y forme un rectángulo de unos 33 x 23 cm. Colóquelo en la bandeja para el horno, cubriendo bien las esquinas con la pasta.

4 Extienda sobre de la pasta la preparación de cebolla.

5 Disponga los filetes de anchoa y las aceitunas por encima, y espolvoree con la mejorana.

6 Cueza la *pissaladière* en el horno precalentado a 220 °C, durante unos 20-25 minutos o hasta que esté ligeramente dorada. Sírvala bien caliente, en cuanto salga del horno, o fría.

VARIACIÓN

Para una comida campestre, le resultará práctico cortar la pissaladière *en porciones.*

2

3

5

Mini tartaletas de queso y cebolla

Sirva estas deliciosas tartaletas como bocaditos para picar en algún bufet libre o fiesta.

Para 12 personas

INGREDIENTES

PASTA:
100 g de harina
1/4 de cucharadita de sal
75 g de mantequilla troceada
1-2 cucharadas de agua

RELLENO:
1 huevo batido
100 ml de nata líquida
50 g de queso red leicester rallado
3 cebolletas picadas finas
sal
cayena molida

1 Para hacer la pasta, tamice la harina y la sal en un cuenco; incorpore la mantequilla con los dedos y trabaje hasta que obtener una consistencia de pan rallado. Agregue el agua y forme una pasta.

2 Con el rodillo, extienda la pasta sobre una superficie ligeramente enharinada. Con un cortapastas de 7,5 cm de diámetro, recorte 12 redondeles y forre con ellos los huecos de un molde múltiple para tartaletas.

3 Para el relleno, mezcle en una jarra ancha el huevo batido con la nata líquida, el queso rallado y la cebolleta. Sazone al gusto con sal y cayena molida.

4 Vierta el relleno en los moldes y cueza las tartaletas en el horno precalentado a 180 °C durante unos 20-25 minutos, o hasta que el relleno haya cuajado. Sirva las mini tartaletas frías o calientes.

VARIACIÓN

Si lo desea, antes de hornear ponga sobre cada tartaleta una rodaja de tomate fresco.

SUGERENCIA

Estas tartaletas se pueden hacer en cuestión de minutos si se utilizan 175 g de pasta quebrada preparada en lugar de elaborarla en casa.

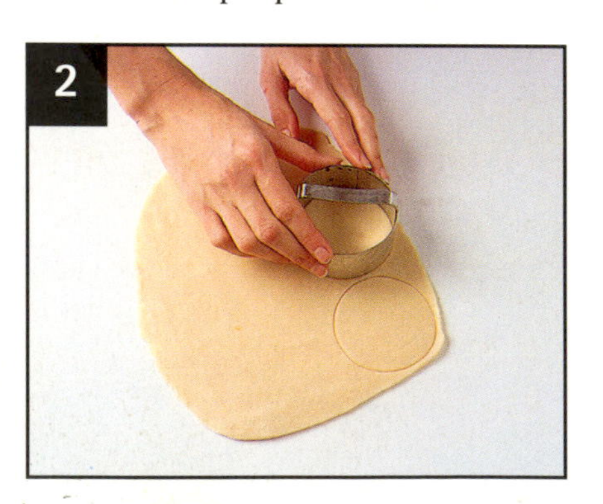

2

3

4

Enrejados de jamón en dulce y queso

Estas atractivas pastas son tan deliciosas frías como calientes. Resultan ideales como parte de una comida campestre, acompañadas con una ensalada.

Para 6 pastas

INGREDIENTES

- 250 g de pasta de hojaldre preparada
- 50 g de jamón en dulce picado
- 125 g de queso cremoso
- 2 cucharadas de cebollino picado
- sal y pimienta
- 1 huevo batido
- 2 cucharadas de queso parmesano recién rallado

1 Con el rodillo, extienda la pasta sobre una superficie ligeramente enharinada y recorte 12 rectángulos de 15 x 5 cm.

2 Coloque los rectángulos sobre una bandeja para el horno engrasada y deje que se enfríen 30 minutos en la nevera.

3 Mientras tanto, mezcle el jamón con el queso y el cebollino en un bol pequeño. Salpimente al gusto.

4 Extienda la mezcla de jamón y queso a lo largo de la parte central de 6 de los rectángulos, dejando un reborde libre de 2,5 cm. Pinte el reborde con el huevo batido.

5 Para hacer el enrejado, doble los otros 6 rectángulos a lo largo y, con un cuchillo, dejando un reborde libre de 2,5 cm, haga una serie de cortes paralelos en uno de los lados.

6 Despliegue los rectángulos y colóquelos sobre el relleno. Selle bien los bordes y espolvoree con un poco de parmesano rallado.

7 Cueza los enrejados en el horno precalentado a 180 °C, durante unos 15-20 minutos. Estas pastas se pueden servir tanto frías como calientes.

SUGERENCIA

Puede preparar los enrejados con antelación, congelarlos sin hornear y hornearlos cuando lo desee.

Platos vegetarianos

La comida vegetariana no es un sucedáneo pobre para quienes no comen carne, sino que es deliciosa y nutritiva por sí misma. La variedad de recetas de este capítulo permitirá a los vegetarianos disfrutar de unos ricos horneados, y quizás experimentar con los ingredientes para adecuarlos a sus preferencias. Las recetas incluyen variaciones de platos clásicos, como el pastel de piña, la compota de fruta con cobertura crujiente, y la tarta de dátiles y orejones.

Hoy día, la mayoría de los supermercados y tiendas de dietética ofrecen productos adecuados para la dieta vegetariana, y merece la pena experimentar. Entre ellos están la leche de soja, que se vende concentrada, en polvo o lista para beber, y diferentes margarinas y mantecas vegetales, que resultan ideales para freír y hornear.

El tofu es un producto de la soja muy versátil, sin colesterol y con un alto contenido de proteínas, que se puede utilizar en platos tanto dulces como salados.

En este capítulo, la ausencia de huevo se contrarresta con un poco de líquido extra (normalmente aceite) y aumentando la cantidad de levadura.

Empanadillas al curry

En estas pastas, adecuadas para los vegetarianos más estrictos, se combinan verduras y especias. Se pueden servir frías o calientes.

Para 4 personas

INGREDIENTES

225 g de harina integral
100 g de margarina vegetal troceada
4 cucharadas de agua
2 cucharadas de aceite
1 cebolla pequeña picada
225 g de tubérculos (patatas, zanahorias y chirivías) cortados en dados
2 dientes de ajo finamente picados
1/2 cucharadita de curry en polvo
1/2 cucharadita de cúrcuma molida
1/2 cucharadita de comino molido
1/2 cucharadita de mostaza de grano entero
5 cucharadas de caldo vegetal
leche de soja, para glasear

1 Ponga la harina en un cuenco grande e incorpore la margarina con los dedos, hasta obtener una consistencia de pan rallado. Agregue el agua y forme una pasta suave. Envuélvala y déjela en la nevera 30 minutos.

2 Para hacer el relleno, caliente el aceite en una cazuela grande y rehogue la cebolla, las hortalizas troceadas y el ajo durante 2 minutos. Incorpore todas las especias, removiendo para que las verduras queden bien recubiertas. Rehogue durante 1 minuto más.

3 Vierta el caldo y llévelo a ebullición. Cubra la cazuela y cuézalo a fuego suave unos 20 minutos, removiendo de vez en cuando, hasta que las verduras estén tiernas y el líquido se haya absorbido. Deje que se enfríe.

4 Divida la pasta en 4 porciones. Extiéndalas con el rodillo en redondeles de 15 cm. Coloque el relleno en el centro.

5 Pinte el borde de la pasta con leche de soja, dóblela para encerrar el relleno y presione para sellar. Coloque las empanadillas sobre una bandeja de hornear y cuézalas en el horno precalentado a 200 °C, unos 25-30 minutos, hasta que estén doradas.

SUGERENCIA

Puede preparar el relleno con antelación y guardarlo en la nevera hasta que lo necesite.

1

2

5

Empanada de champiñones

Los champiñones dan a esta saludable empanada un maravilloso aroma y sabor. Puede congelar la empanada sin cocer y sacarla del congelador justo antes de hornearla.

Para 4-6 personas

INGREDIENTES

PASTA:
225 g de harina integral
100 g de margarina vegetal troceada
4 cucharadas de agua
leche de soja, para glasear

RELLENO:
25 g de margarina vegetal
1 cebolla picada
1 diente de ajo picado fino
125 g de champiñones cortados en láminas
1 cucharada de harina blanca
150 ml de caldo vegetal
1 cucharada de pasta de tomate
175 g de nueces del Brasil, picadas
75 g de pan rallado integral
2 cucharadas de perejil fresco picado
1/2 cucharadita de pimienta

1 Para hacer la pasta, ponga la harina en un cuenco, incorpore la margarina y trabaje con las manos hasta obtener una consistencia de pan rallado. Agregue el agua y amase para formar una pasta. Envuélvala y déjela 30 minutos en la nevera.

2 Para el relleno, derrita la margarina en una sartén y rehogue la cebolla, el ajo y los champiñones 5 minutos, hasta que se ablanden. Añada la harina y rehogue 1 minuto, removiendo. Poco a poco, agregue el caldo, removiendo, hasta que la salsa se empiece a espesar. Añada la pasta de tomate, las nueces del Brasil, el pan rallado, el perejil y la pimienta. Deje que se entibie.

3 Extienda 2/3 de la pasta con el rodillo sobre una superficie enharinada, y forre con ella un molde para tarta acanalado de 20 cm de diámetro. Disponga el relleno sobre la base de pasta y pinte el borde con leche de soja. Extienda el resto de la pasta hasta obtener un redondel para cubrir la empanada. Selle los bordes, haga una incisión en la parte superior y píntela con leche de soja.

4 Cueza la empanada en el horno precalentado a 200 °C durante unos 30-40 minutos, hasta que esté dorada.

2

2

2

Tarta de lentejas y pimiento rojo

En esta sorprendente tarta, las lentejas se combinan con pimiento rojo como delicioso relleno de una sabrosa base de pasta. Se trata de un plato adecuado para los vegetarianos más estrictos.

Para 6-8 personas

INGREDIENTES

PASTA:
225 g de harina integral
100 g de margarina vegetal troceada
4 cucharadas de agua

RELLENO:
175 g de lentejas rojas, lavadas
300 ml de caldo vegetal
15 g de margarina vegetal
1 cebolla picada
2 pimientos rojos, despepitados y cortados en dados
1 cucharadita de extracto de levadura
1 cucharada de pasta de tomate
3 cucharadas de perejil fresco picado
pimienta

1 Para la pasta, ponga la harina en un cuenco, incorpore la margarina y trabaje con los dedos hasta obtener una consistencia de pan rallado. Agregue el agua y amase para formar una pasta. Envuélvala y déjela 30 minutos en la nevera.

2 Para el relleno, ponga las lentejas en una cazuela con el caldo, llévelas a ebullición y cuézalas a fuego suave 10 minutos, hasta que estén tiernas. Cháfelas con el dorso de una cuchara.

3 Derrita la margarina en una cazuela pequeña y rehogue la cebolla y el pimiento hasta que empiecen a ablandarse.

4 Incorpore el puré de lentejas, el extracto de levadura, la pasta de tomate y el perejil. Salpimente y mézclelo todo bien.

5 Con el rodillo, extienda la pasta sobre una superficie enharinada y forre con ella un molde para tarta acanalado de 24 cm de diámetro. Pinche la base con un tenedor y deposite el relleno sobre la pasta.

6 Cueza la tarta en el horno precalentado a 200 °C, durante unos 30 minutos.

VARIACIÓN

Si lo desea, para aportar algo más de color y sabor, puede añadir un poco de maíz dulce en el paso 4.

1

2

4

Pan de ajo y salvia

Este pan recién horneado resulta estupendo para acompañar una ensalada y es adecuado para los vegetarianos más estrictos.

Para 4-6 personas

INGREDIENTES

250 g de harina integral para pan
1 sobre de levadura de fácil disolución
3 cucharadas de salvia fresca picada
2 cucharaditas de sal marina
3 dientes de ajo finamente picados
1 cucharadita de miel
150 ml de agua tibia

1 Engrase una bandeja para el horno. Tamice la harina en un cuenco grande y añada el salvado que pueda quedar en el cedazo.

2 Agregue la levadura, la salvia y la mitad de la sal. Reserve 1 cucharadita de ajo picado para espolvorear e incorpore el resto en el cuenco. Añada la miel y el agua tibia y forme una pasta.

3 Ponga la pasta sobre una superficie ligeramente enharinada y amásela a mano (o hágalo el robot de cocina equipado con el accesorio adecuado), durante 5 minutos.

4 Coloque la pasta en un bol engrasado, cúbrala y déjela fermentar en un lugar cálido hasta que haya doblado su volumen.

5 Vuelva a amasar unos minutos y forme un roscón. Colóquelo sobre la bandeja engrasada.

6 Cubra el roscón y déjelo leudar otros 30 minutos o hasta que esté esponjoso al tacto. Espolvoréelo con el resto de la sal y el ajo.

7 Cuézalo en el horno precalentado a 200 °C, unos 25-30 minutos. Deje que se enfríe sobre una rejilla metálica.

SUGERENCIA

Para hacer el roscón, forme un cilindro largo con la pasta y ciérrelo en forma de corona.

VARIACION

Si lo prefiere, puede omitir el espolvoreado con sal.

3

5

6

Pastas de albaricoque

Estas pastas son ideales para el almuerzo que se llevan los niños a la escuela. Muy sabrosas, se elaboran con ingredientes saludables.

Para 12 porciones

INGREDIENTES

PASTA:
- 225 g de harina integral
- 50 g de frutos secos variados, finamente molidos
- 100 g de margarina vegetal troceada
- 4 cucharadas de agua
- leche de soja, para glasear

RELLENO:
- 225 g de orejones de albaricoque
- la ralladura de 1 naranja
- 300 ml de zumo de manzana
- 1 cucharadita de canela en polvo
- 50 g de pasas

1 Engrase ligeramente un molde cuadrado de 23 cm. Para hacer la pasta, ponga la harina y el polvo de frutos secos en un cuenco grande e incorpore la margarina con los dedos hasta obtener una consistencia de pan rallado. Agregue el agua y forme una pasta suave. Envuélvala y déjela en la nevera 30 minutos.

2 Para el relleno, ponga los orejones, la ralladura de naranja y el zumo de manzana en un cazo y llévelo a ebullición. Cuézalo 30 minutos a fuego suave, hasta que los orejones se ablanden. Deje que se entibie y haga un puré. Agregue la canela y las pasas.

3 Divida la pasta en dos, extienda una mitad con el rodillo y forre la base del molde. Extienda el puré de albaricoque por encima y pinte los bordes de la pasta con agua. Extienda la otra mitad y cubra con ella el relleno. Presione para sellar los bordes.

4 Pinche la parte superior de la pasta con un tenedor y píntela con leche de soja. Cueza el pastel en el horno precalentado a 200 °C durante 20-25 minutos, hasta que esté dorado. Deje que se enfríe un poco antes de cortarlo en 12 porciones. Sírvalo caliente.

SUGERENCIA

Estas porciones se conservan hasta 3-4 días en un recipiente hermético.

1

2

3

Pastel de tofu

Este pastel tiene una textura cremosa pero no lleva productos lácteos. Compruebe la etiqueta de las galletas integrales para asegurarse de que no incorporen productos animales.

Para 6 personas

INGREDIENTES

125 g de galletas integrales trituradas
50 g de margarina vegetal derretida
50 g de dátiles, deshuesados y picados
4 cucharadas de zumo de limón
la ralladura de 1 limón
3 cucharadas de agua
350 g de tofu de consistencia firme
150 ml de zumo de manzana
1 plátano triturado
1 cucharadita de extracto de vainilla
1 mango, pelado y picado

1 Engrase ligeramente un molde desmontable de 18 cm de diámetro.

2 En un bol, mezcle las migas de galleta con la margarina. Presione la mezcla contra la base del molde.

3 Ponga los dátiles, el zumo y la ralladura de limón y el agua en un cazo, y llévelo a ebullición. Cuézalo 5 minutos a fuego suave, hasta que los dátiles se ablanden, y a continuación haga un puré grueso con un tenedor.

4 Coloque la mezcla en una batidora junto con el tofu, el zumo de manzana, el plátano triturado y el extracto de vainilla, y bata hasta obtener un puré espeso pero suave.

5 Vierta el puré de tofu en el molde, sobre la base de galleta.

6 Cueza el pastel en el horno precalentado a 180 °C, durante 30-40 minutos, hasta que se dore. Deje que se enfríe en el molde, y después póngalo en la nevera.

7 Bata el mango picado en una batidora hasta que esté suave. Sírvalo como salsa, para acompañar el pastel bien frío.

VARIACIÓN

Una variedad de tofu suave dará una textura más delicada al pastel; en caso de utilizarla, tardará unos 40-50 minutos en cuajar.

2

3

4

Pastel de piña

Este pastel es un ejemplo de cómo una receta clásica puede ser adaptada a la cocina vegetariana. Se trata simplemente de sustituir la mantequilla y el huevo por margarina y aceite vegetal.

Para 6 personas

INGREDIENTES

1 lata de 430 g de trozos de piña al natural, escurridos (reserve el jugo)
4 cucharaditas de harina de maíz
50 g de azúcar moreno fino
50 g de margarina vegetal troceada
125 ml de agua
la ralladura de 1 limón

BIZCOCHO:
50 ml de aceite de girasol
75 g de azúcar moreno fino
150 ml de agua
150 g de harina
2 cucharaditas de levadura en polvo
1 cucharadita de canela molida

1 Engrase un molde de 18 cm de diámetro. Deslía la harina de maíz en el jugo reservado de la piña hasta formar una pasta. Póngala en un cazo con el azúcar, la margarina y el agua, y remueva a fuego suave hasta que el azúcar se haya disuelto. Llévelo a ebullición y cuézalo a fuego lento durante 2-3 minutos, hasta que la crema se espese. Deje que se entibie.

2 Para hacer el bizcocho, ponga el aceite, el azúcar y el agua en un cazo. Caliéntelo a fuego suave hasta que el azúcar se disuelva. Retírelo del fuego y déjelo enfriar. En un bol, tamice la harina, la levadura y la canela en polvo. Vierta el almíbar enfriado y bata bien para formar una pasta.

3 Coloque los trozos de piña y la ralladura de limón en la base del molde, y vierta por encima 4 cucharadas de la crema de piña. Vierta después la pasta del bizcocho.

4 Cueza el pastel en el horno precalentado a 180 °C unos 35-40 minutos, hasta que al insertar un pincho de cocina en el centro, salga limpio. Vuelque el pastel sobre un plato, espere 5 minutos y retire el molde. Sírvalo con el resto de la crema.

VARIACIÓN

Si lo desea, además de trozos de piña, ponga 25 g de sultanas.

Tarta de dátiles y orejones

No hace falta añadir azúcar al relleno, porque la fruta seca es ya lo bastante dulce. Se trata de otra tarta adecuada para vegetarianos estrictos.

Para 6-8 personas

INGREDIENTES

- 225 g de harina integral
- 50 g de frutos secos variados, molidos
- 100 g de margarina vegetal troceada
- 4 cucharadas de agua
- 225 g de orejones de albaricoque, picados
- 225 g de dátiles deshuesados, picados
- 425 ml de zumo de manzana
- 1 cucharadita de canela en polvo
- la ralladura de 1 limón
- natillas de leche de soja, para servir (opcional)

1 Ponga en un cuenco la harina y el polvo de frutos secos, incorpore la margarina y trabaje con las manos hasta obtener una consistencia de pan rallado. Agregue el agua y mezcle para formar una pasta. Envuélvala y deje que se enfríe 30 minutos en la nevera.

2 Mientras tanto, ponga los orejones y los dátiles en un cazo con el zumo de manzana, la canela y la ralladura de limón. Llévelo a ebullición, cúbralo y cuézalo a fuego suave durante 15 minutos, hasta que la fruta se ablande y se pueda hacer un puré.

3 Reserve una bola de pasta para hacer las tiras de la rejilla. Con un rodillo, extienda el resto de la pasta sobre una superficie ligeramente enharinada, y forre con ella un molde para tarta acanalado, de 23 cm de diámetro.

4 Rellene la base de la tarta con el puré de fruta. Extienda la pasta reservada con el rodillo, y recorte tiras de 1 cm de ancho y de la longitud adecuada; retuérzalas y dispóngalas sobre el relleno de fruta, formando una rejilla. Humedezca los extremos de las tiras con agua y péguelos al borde de la tarta.

5 Cueza la tarta en el horno precalentado a 200 °C durante unos 25-30 minutos, hasta que esté dorada. Córtela en porciones y, si lo desea, sírvala con natillas de leche de soja.

Compota de fruta con cobertura crujiente

Para elaborar este saludable postre se puede utilizar cualquier fruta de temporada. Es adecuado para vegetarianos estrictos, porque no lleva productos lácteos.

Para 6 personas

INGREDIENTES

6 peras, peladas y sin el corazón, cortadas en cuartos y después en rodajas
1 cucharada de jengibre confitado picado
1 cucharada de melaza
2 cucharadas de zumo de naranja

COBERTURA:
175 g de harina
75 g de margarina vegetal troceada
25 g de almendras fileteadas
25 g de copos de avena
50 g de melaza

natillas de leche de soja, para servir

1 Engrase ligeramente una fuente para el horno de 1 litro de capacidad.

2 En un cuenco, mezcle los trozos de pera con el jengibre, la melaza y el zumo de naranja. Disponga la fruta en la fuente preparada.

3 Para hacer la cobertura crujiente, tamice la harina en un cuenco e incorpore la margarina con los dedos, trabajando hasta obtener una consistencia de pan rallado. Añada las almendras, los copos de avena y la melaza. Mezcle bien.

4 Esparza la cobertura sobre la fruta.

5 Cueza la compota en el horno precalentado a 190 °C unos 30 minutos, hasta que la cobertura esté dorada y la fruta, tierna. Puede servirla acompañada con natillas de leche de soja.

VARIACIÓN

Si desea potenciar el sabor de la compota, añada 1 cucharadita de una mezcla de especias dulces molidas en el paso 3.

2

3

4

Bizcocho sin huevo

Ésta es una saludable variación del clásico bizcocho relleno, adecuada para vegetarianos estrictos.

Para 1 pastel de unos 20 cm de diámetro

INGREDIENTES

225 g de harina de fuerza integral
2 cucharaditas de levadura en polvo
175 g de azúcar lustre
6 cucharadas de aceite de girasol
250 ml de agua
1 cucharadita de extracto de vainilla
4 cucharadas de mermelada de fresa o frambuesa, baja en calorías
azúcar lustre, para espolvorear

1 Engrase 2 moldes para pastel de 20 cm de diámetro y fórrelos con papel vegetal.

2 Tamice la harina y la levadura en un cuenco grande, y añada el salvado que pueda quedar en el cedazo. Agregue el azúcar.

3 Vierta el aceite, el agua y el extracto de vainilla, y mezcle con una cuchara de madera durante 1 minuto, hasta obtener una consistencia suave.

4 Divida la mezcla entre los dos moldes.

5 Cueza los bizcochos en el horno precalentado a 180 °C unos 25-30 minutos, hasta que el centro se note esponjoso al ejercer una ligera presión con el dejo. Deje que se entibien en el molde, y después desmóldelos y póngalos sobre una rejilla metálica para que se acaben de enfriar.

6 Retire el papel de hornear y coloque uno de los bizcochos sobre un plato para servir. Extienda la mermelada por encima y ponga el otro bizcocho sobre el relleno. Espolvoree el pastel con un poco de azúcar lustre.

VARIACIÓN

Si lo prefiere, utilice mantequilla o margarina vegetal derretida en lugar del aceite de girasol, pero deje que se enfríe antes de añadirla a los ingredientes secos en el paso 3.

3

3

4

Pasteles

En este capítulo se da un toque francamente original a algunos de los más clásicos pasteles para la merienda. Con chocolate, especias, frutas y otras delicias, todas estas recetas constituyen un auténtico placer.

Hay pasteles para todos los gustos y necesidades, según, por ejemplo el tiempo del que se disponga y el esfuerzo que se les quiera dedicar. También se incluye una selección de recetas de pastelitos individuales, que requieren menos tiempo de preparación y horneado que los grandes y resultan perfectos para acompañar una taza de café o para que los niños se los lleven a la escuela para el almuerzo.

Las recetas que incluyen levadura en polvo son por lo general muy fáciles y rápidas de elaborar, y resultan adecuadas para aquellas ocasiones en que apetece tomar un trozo de pastel con una taza de té.

También hay otras recetas más elaboradas, de suculentos pasteles. El capítulo contiene además una selección de deliciosos bollos.

Pastel de frutas secas al aceite de oliva

Merece la pena utilizar un aceite de oliva de buena calidad, porque es determinante para el resultado final. El pastel se conserva bien en una lata hermética hasta el momento de su consumo.

Para 8 personas

INGREDIENTES

225 g de harina de fuerza
50 g de azúcar lustre
125 ml de leche
4 cucharadas de zumo de naranja
150 ml de aceite de oliva
100 g de fruta seca variada
25 g de piñones

1 Engrase un molde para pastel de 18 cm de diámetro y forre la base con papel vegetal.

2 Tamice la harina en un bol y añada el azúcar lustre.

3 Haga un hoyo en el centro de los ingredientes secos y agregue la leche y el zumo de naranja. Remueva con una cuchara de madera hasta mezclarlo todo bien.

4 Vierta el aceite de oliva, removiendo bien para que quede una pasta homogénea.

5 Incorpore en la pasta la fruta seca y los piñones y viértala en el molde.

6 Cueza el pastel en el horno precalentado a 180 °C durante unos 45 minutos, hasta que esté dorado y firme al tacto.

7 Déjelo unos minutos en el molde antes de pasarlo a una rejilla metálica para que termine de enfriarse.

8 Sirva el pastel caliente o frío, cortado en rebanadas.

SUGERENCIA

Los piñones son unos frutos secos muy sabrosos y nutritivos. En este caso, aportan un delicioso sabor resinoso al pastel.

3

4

5

Bizcocho de chocolate y pera

Esta estupenda combinación de chocolate y peras frescas con un jugoso bizcocho hará las delicias de los más golosos.

Para 6 personas

INGREDIENTES

175 g de mantequilla ablandada
175 g de azúcar moreno fino
3 huevos batidos

150 g de harina de fuerza
15 g de cacao en polvo
2 cucharadas de leche

2 peras pequeñas, peladas, sin el corazón y cortadas en rodajas

1 Engrase un molde desmontable redondo de 23 cm de diámetro y forre la base con papel vegetal.

2 En un cuenco, con un batidor de varillas o unas varillas eléctricas, bata la mantequilla con el azúcar a punto de crema.

3 Poco a poco, vaya añadiendo el huevo, batiendo bien tras cada adición.

4 Tamice la harina y el cacao en polvo sobre la mezcla y remueva con cuidado hasta formar una pasta homogénea.

5 Incorpore la leche y vierta la pasta en el molde preparado. Allane la superficie con una espátula o con el dorso de una cuchara.

6 Coloque las rodajas de pera sobre la pasta, formando un círculo.

7 Cueza el bizcocho en el horno precalentado a 180 °C, 1 hora o hasta que esté firme al tacto.

8 Déjelo en el molde unos minutos, y después póngalo sobre una rejilla metálica para que acabe de enfriarse antes de servirlo.

SUGERENCIA

Para obtener un postre delicioso, sirva el bizcocho rociado con chocolate fundido.

2

4

6

Pastel de Madeira

Éste es un tradicional pastel de la isla de Madeira, elaborado con semillas de alcaravea. Si no le gusta su sabor, no hace falta que las utilice.

Para 8 personas

INGREDIENTES

225 g de mantequilla ablandada
175 g de azúcar moreno fino
3 huevos batidos
350 g de harina de fuerza
1 cucharada de semillas de alcaravea
la ralladura de 1 limón
6 cucharadas de leche
1 o 2 tiras de piel de cítricos confitada

1 Engrase y forre un molde rectangular de 1 litro de capacidad.

2 En un bol, bata la mantequilla con el azúcar a punto de crema.

3 Poco a poco, añada el huevo; bata bien tras cada adición.

4 Tamice la harina sobre la crema y remueva con cuidado para mezclarlo todo bien.

5 Añada las semillas de alcaravea, la ralladura de limón y la leche; mezcle bien.

6 Vierta la pasta en el molde preparado y allane la superficie con una espátula

7 Cueza el pastel en el horno precalentado a 160 °C durante unos 20 minutos.

8 Saque el pastel del horno, coloque las tiras de piel de cítricos encima y hornéelo durante otros 40 minutos o hasta que haya subido y que, al insertar un pincho de cocina en el centro, éste salga limpio.

9 Déjelo en el molde unos minutos, y después póngalo sobre una rejilla metálica para que acabe de enfriarse antes de servirlo.

SUGERENCIA

La piel de cítricos confitada se suele vender en los supermercados. Si no tiene, puede sustituirla por un poco de piel de cítricos variados picada.

2

4

5

Pastel de clementina

Este pastel está aromatizado con ralladura y zumo de clementina, con lo que adquiere un estupendo y fresco sabor a fruta.

Para 8 personas

INGREDIENTES

- 2 naranjas clementinas
- 175 g de mantequilla ablandada
- 175 g de azúcar lustre
- 3 huevos batidos
- 175 g de harina de fuerza
- 3 cucharadas de almendra molida
- 3 cucharadas de nata líquida

GLASEADO Y COBERTURA:

- 6 cucharadas de zumo de clementina
- 2 cucharadas de azúcar lustre
- 3 terrones de azúcar blanco triturados

1 Engrase un molde redondo de 18 cm de diámetro y forre la base con papel vegetal.

2 Pele las clementinas y pique la piel muy fina. En un bol, bata a punto de crema la mantequilla con el azúcar y la piel picada.

3 Poco a poco, añada el huevo, batiendo bien tras cada adición.

4 Con cuidado, incorpore la harina, y a continuación la almendra y la nata líquida. Con una cuchara, deposite la mezcla en el molde.

5 Cueza el pastel en el horno precalentado a 180 °C, unos 55-60 minutos o hasta que al insertar un pincho de cocina en el centro, salga limpio. Deje que se enfríe un poco.

6 Mientras tanto, prepare el glaseado. Ponga el zumo de clementina en un cazo con el azúcar lustre. Llévelo a ebullición y cuézalo a fuego suave 5 minutos.

7 Vierta el glaseado sobre el pastel; cuando lo haya absorbido, espolvoréelo con los terrones de azúcar triturados.

SUGERENCIA

Si lo prefiere, en el paso 2, pique la piel de las clementinas en una batidora o picadora junto con el azúcar. Ponga la mezcla en un cuenco con la mantequilla y bátalo a punto de crema.

SABRE

Pastel de fruta confitada

Este pastel es sumamente atractivo. Se puede elaborar con cualquier mezcla de frutas confitadas, pero también con sólo un tipo, si se prefiere.

Para 8 personas

INGREDIENTES

175 g de mantequilla ablandada
175 de azúcar lustre
3 huevos batidos
175 g de harina de fuerza tamizada
25 g de harina de arroz
la ralladura fina de 1 limón
4 cucharadas de zumo de limón
125 g de frutas confitadas, picadas
azúcar glasé, para espolvorear (opcional)

1 Engrase un molde redondo de 18 cm de diámetro y forre la base con papel vegetal.

2 En un bol, bata la mantequilla y el azúcar a punto de crema.

3 Poco a poco, incorpore el huevo batido. Con una cuchara metálica, vaya añadiendo la harina tamizada y la de arroz.

4 Agregue la ralladura y el zumo de limón, y después la fruta picada. Mézclelo todo bien, con cuidado.

5 Vierta la mezcla en el molde y allane la superficie con una espátula o con el dorso de una cuchara.

6 Cueza el pastel en el horno precalentado a 180 °C, 1 hora o 1 hora y 10 minutos, hasta que haya subido y que, al insertar un pincho de cocina en el centro, salga limpio.

7 Deje el pastel en el molde 5 minutos, y después póngalo sobre una rejilla metálica para que acabe de enfriarse.

8 Si lo desea, antes de servirlo espolvoréelo bien con azúcar glasé.

SUGERENCIA

Lave y seque la fruta confitada antes de picarla. Eso evitará que se acumule en el fondo del pastel durante el horneado.

2

3

4

Pastel de chocolate blanco y albaricoque

El chocolate blanco hace de éste un pastel muy suculento; por lo tanto, sírvalo cortado en pequeños cuadrados o barritas, o bien en rebanadas delgadas.

Para 12 porciones cuadradas

INGREDIENTES

- 125 g de mantequilla
- 175 g de chocolate blanco picado
- 4 huevos
- 125 g de azúcar lustre
- 200 g de harina tamizada
- 1 cucharadita de levadura en polvo
- una pizca de sal
- 100 g de orejones de albaricoque que no requieran remojo, picados

1 Engrase un molde cuadrado para pasteles de 20 cm y forre la base con papel vegetal.

2 Derrita la mantequilla junto con el chocolate en un cuenco resistente al calor colocado sobre una cazuela con agua caliente. Remueva con una cuchara de madera hasta que la mezcla esté suave y brillante. Deje que se enfríe un poco.

3 Incorpore el huevo y el azúcar en la crema de mantequilla y chocolate, mezclándolo todo bien.

4 Añada la harina, la levadura en polvo, la sal y los orejones picados y mezcle.

5 Vierta la pasta en el molde y cueza el pastel en el horno precalentado a 180 °C durante unos 25-30 minutos.

6 Puede que el centro del pastel no esté del todo consistente, pero cuajará mientras se enfría. Deje que se enfríe en el molde.

7 Cuando el pastel esté frío, desmóldelo y córtelo en cuadrados o tiras alargadas.

VARIACIÓN

Si lo prefiere, puede sustituir el chocolate blanco por chocolate negro o con leche.

Pastel de frutas crujiente

La polenta aporta a este pastel de frutas textura y un bonito color amarillo. Tiene las mismas propiedades que la harina, aglomera bien los ingredientes y suaviza el conjunto.

Para 8-10 personas

INGREDIENTES

100 g de mantequilla ablandada
100 g de azúcar lustre
2 huevos batidos
50 g de harina de fuerza, tamizada
1 cucharadita de levadura en polvo
100 g de polenta
225 g de frutas secas variadas, picadas
25 g de piñones
la ralladura de 1 limón
4 cucharadas de zumo de limón
2 cucharadas de leche

1 Engrase con mantequilla un molde redondo de 18 cm de diámetro y forre la base con papel vegetal.

2 En un cuenco, bata la mantequilla con el azúcar a punto de crema.

3 Vaya incorporando el huevo poco a poco, batiendo bien tras cada adición.

4 Incorpore la harina, la levadura y la polenta y mézclelo todo bien.

5 Añada las frutas secas, los piñones, la ralladura y el zumo de limón, y la leche.

6 Disponga la pasta en el molde y allane la superficie.

7 Cueza el pastel en el horno precalentado a 180 °C, durante 1 hora o hasta que al insertar un pincho de cocina en el centro, salga limpio.

8 Deje que el pastel se enfríe en el molde por completo antes de desmoldarlo.

VARIACIÓN

Para un pastel de frutas más ligero, omita la polenta y sustitúyala por 150 g de harina de fuerza.

2

3

5

Pastel de chocolate

Este pastel de chocolate debe su textura jugosa a la crema agria que se incorpora en la pasta.

Para 10-12 personas

INGREDIENTES

225 g de mantequilla
100 g de chocolate negro, picado
150 ml de agua
2 cucharaditas de levadura en polvo

300 g de harina
275 g de azúcar moreno fino
150 ml de crema agria
2 huevos batidos

COBERTURA:
200 g de chocolate negro
6 cucharadas de agua
3 cucharadas de nata líquida
1 cucharada de mantequilla, fría de la nevera

1 Engrase un molde para pasteles rectangular de 33 x 20 cm y forre la base con papel vegetal. En un cazo, derrita a fuego suave la mantequilla con el chocolate y el agua, sin dejar de remover.

2 En un cuenco, tamice la levadura y la harina, y después añada el azúcar.

3 Vierta el chocolate fundido en el cuenco y bata hasta que todo esté bien mezclado. Incorpore la crema agria, y después el huevo batido.

4 Vierta la pasta en el molde y cueza el pastel en el horno precalentado a 190 °C, durante 40-45 minutos.

5 Deje el pastel unos minutos en el molde antes de pasarlo a una rejilla metálica para que se enfríe por completo.

6 Para la cobertura, derrita el chocolate con el agua en un cazo a fuego muy suave, añada la nata líquida y retírelo del fuego. Incorpore la mantequilla fría. Con una espátula, extienda la cobertura uniformemente sobre la superficie del pastel frío.

SUGERENCIA

Deje el pastel sobre la rejilla mientras lo escarcha, y coloque una bandeja de hornear debajo para recoger el chocolate que pueda gotear.

1

3

3

Torta de chocolate y almendra

Esta torta resulta perfecta para servir en un caluroso día de verano, acompañada con nata líquida y una selección de frutas del bosque.

Para 10 personas

INGREDIENTES

- 225 g de chocolate negro troceado
- 3 cucharadas de agua
- 150 g de azúcar moreno fino
- 175 g de mantequilla ablandada
- 25 g de almendra molida
- 3 cucharadas de harina de fuerza
- 5 huevos, con las yemas separadas de las claras
- 100 g de almendras escaldadas, picadas finas
- azúcar lustre, para espolvorear
- nata líquida espesa, para servir (opcional)

1 Engrase un molde redondo desmontable de 23 cm y forre la base con papel vegetal.

2 En un cazo, a fuego muy lento, funda el chocolate con el agua, removiendo hasta que esté suave. Añada el azúcar y remueva hasta que se haya disuelto, apartando el cazo del fuego para evitar que se caliente demasiado.

3 Poco a poco, incorpore la mantequilla y fúndala con el chocolate. Retire el cazo del fuego y, con cuidado, añada la almendra molida y la harina. Agregue las yemas de una en una, batiendo bien tras cada adición.

4 En un cuenco grande, bata las claras a punto de nieve. Con una cuchara metálica, incorpórelas en la mezcla de chocolate. Añada las almendras picadas. Vierta la pasta en el molde y allane la superficie.

5 Cueza el pastel en el horno precalentado a 180 °C, unos 40-45 minutos, hasta que haya subido y esté firme (la superficie se agrietará durante la cocción).

6 Deje que el pastel se enfríe en el molde unos 30-40 minutos, y después desmóldelo sobre una rejilla para que se acabe de enfriar. Espolvoréelo con azúcar glasé y sírvalo cortado en porciones, si lo desea con un poco de nata líquida.

SUGERENCIA

Para potenciar el sabor a fruto seco, en lugar de escaldar las almendras, tuéstelas en una sartén a fuego medio durante unos 2 minutos, hasta que se doren.

Pastel de zanahoria

Éste es un pastel que en los países anglosajones se suele servir para acompañar el té de la tarde, y que gusta tanto a los niños como a los adultos.

Para 12 porciones

INGREDIENTES

- 125 g de harina de fuerza
- una pizca de sal
- 1 cucharadita de canela en polvo
- 125 g de azúcar moreno fino
- 2 huevos
- 100 ml de aceite de girasol
- 125 g de zanahorias, peladas y ralladas finas
- 25 g de coco rallado
- 25 g de nueces picadas
- nueces troceadas, para decorar

COBERTURA:

- 50 g de mantequilla ablandada
- 50 g de queso cremoso
- 225 g de azúcar glasé tamizado
- 1 cucharadita de zumo de limón

1 Engrase ligeramente un molde para pasteles cuadrado de 20 cm de lado y forre la base con papel vegetal.

2 Tamice la harina, la sal y la canela en un cuenco grande, y añada el azúcar moreno. Incorpore los huevos y el aceite, y mezcle bien.

3 Agregue la zanahoria, el coco y las nueces picadas.

4 Vierta la mezcla en el molde y cueza el pastel en el horno precalentado a 180 °C, unos 20-25 minutos o hasta que esté firme al tacto. Deje que se enfríe en el molde.

5 Mientras tanto, prepare la cobertura. En un cuenco, bata la mantequilla con el queso, el azúcar glasé y el zumo de limón hasta obtener una mezcla cremosa y esponjosa.

6 Desmolde el pastel y córtelo en 12 porciones. Extienda la cobertura por encima y decórelas con los trozos de nuez.

VARIACIÓN

Si desea un pastel más jugoso, sustituya el coco por un plátano ligeramente chafado con el tenedor.

3

Pastel al almíbar de limón

El exquisito sabor del bizcocho, ligero y ácido, se complementa con el almíbar de limón que se vierte sobre el pastel.

Para 8 personas

INGREDIENTES

200 g de harina
2 cucharaditas de levadura en polvo
200 g de azúcar lustre
4 huevos
150 ml de crema agria
la ralladura de 1 limón grande
4 cucharadas de zumo de limón
150 ml de aceite de girasol

ALMÍBAR:
4 cucharadas de azúcar glasé
3 cucharadas de zumo de limón

1 Engrase un molde de 20 cm de diámetro y forre la base con papel vegetal.

2 En un bol, tamice la harina y la levadura; añada el azúcar.

3 En un cuenco aparte, bata los huevos con la crema agria, la ralladura y el zumo de limón, y el aceite.

4 Vierta la mezcla de huevo sobre los ingredientes secos, y mezcle bien hasta obtener una pasta homogénea.

5 Vierta la pasta en el molde y cueza el pastel en el horno precalentado a 180 °C, durante unos 45-60 minutos, hasta que haya subido y esté dorado.

6 Mientras tanto, prepare el almíbar: en un cazo, mezcle el azúcar glasé con el zumo de limón. Remueva a fuego suave hasta que empiece a burbujear y a espesarse.

7 En cuanto saque el pastel del horno, agujeree la superficie con un pincho de cocina fino y píntela con el almíbar. Deje que el pastel se enfríe por completo dentro del molde antes de desmoldarlo para servirlo.

SUGERENCIA

La superficie del pastel caliente se pincha para asegurar que el almíbar penetre en el pastel y éste absorba todo su sabor.

3

4

7

Kugelhopf de naranja

La utilización de un molde para kugelhopf *nos garantiza la obtención de un pastel espectacular. El jugoso bizcocho se aromatiza con naranja.*

Para 6-8 personas

INGREDIENTES

225 g de mantequilla ablandada
225 g de azúcar lustre
4 huevos, con las yemas separadas de las claras
425 g de harina
3 cucharaditas de levadura en polvo
una pizca de sal
300 ml de zumo de naranja natural
1 cucharada de agua de azahar
1 cucharadita de ralladura de naranja

ALMÍBAR:
200 ml de zumo de naranja
200 g de azúcar granulado

1 Engrase y enharine un molde para *kugelhopf* de 25 cm.

2 En un cuenco, bata la mantequilla con el azúcar a punto de crema. Incorpore las yemas de una en una, batiendo bien tras cada adición.

3 En un bol aparte, tamice la harina, la sal y la levadura en polvo. Con una cuchara metálica, incorpore de forma alternada cucharadas de ingredientes secos y zumo de naranja en la pasta de mantequilla y azúcar, trabajando con el máximo cuidado. Agregue el agua de azahar y la ralladura de naranja.

4 Bata las claras a punto de nieve no muy duro e incorpórelas en la pasta, con suavidad.

5 Vierta la pasta en el molde y cueza el pastel en el horno precalentado a 180 °C durante unos 50-55 minutos, o hasta que al insertar un pincho de cocina en el centro, salga limpio.

6 En un cazo, lleve el zumo y el azúcar a ebullición, y después cuézalo 5 minutos a fuego lento, hasta que el azúcar se haya disuelto.

7 Saque el pastel del horno y déjelo 10 minutos en el molde. Agujeree la superficie del pastel con un pincho delgado y píntela con la mitad del almíbar. Déjelo enfriarse otros 10 minutos. Vuelque el pastel sobre una rejilla metálica, colóquela sobre un plato hondo y pinte el pastel con el resto del almíbar, para recubrirlo bien.

3

4

7

Pastel de coco

Este delicioso pastel encantará a toda la familia, pero en especial a los más pequeños.

Para 6-8 personas

INGREDIENTES

225 g de harina de fuerza
una pizca de sal
100 g de mantequilla troceada
100 g de azúcar de Demerara
100 g de coco rallado, y un poco más para espolvorear
2 huevos batidos
4 cucharadas de leche

1 Engrase un molde rectangular de 1 litro de capacidad y forre la base con papel vegetal.

2 Tamice la harina y la sal en un cuenco grande, añada la mantequilla y trabaje con las manos hasta obtener una consistencia de pan rallado.

3 Incorpore el azúcar, el coco, el huevo y la leche, y mezcle hasta que la pasta esté suave.

4 Vierta la pasta en el molde preparado y, con una espátula, iguale la superficie. Cueza el pastel en el horno precalentado a 160 °C durante unos 30 minutos.

5 Saque el pastel del horno, espolvoréelo con el coco rallado y hornéelo durante otros 30 minutos, hasta que haya subido y esté dorado. Al insertar un pincho de cocina en el centro, debe salir limpio.

6 Deje el pastel en el molde unos minutos y después póngalo sobre una rejilla metálica para que acabe de enfriarse.

SUGERENCIA

El sabor de este pastel se irá realzando si se guarda en un lugar fresco y seco unos días antes de comerlo.

2

3

3

Pastel de manzana a la sidra

Este pastel se puede comer para merendar, acompañado con un café con leche o un té, o bien se puede calentar y servir como postre, con un chorrito de nata líquida.

Para 1 pastel de 20 cm de diámetro

INGREDIENTES

225 g de harina de fuerza
1 cucharadita de levadura en polvo
75 g de mantequilla troceada
75 g de azúcar lustre
50 g de manzana seca, picada
75 g de pasas
150 ml de sidra dulce
1 huevo batido
175 g de frambuesas

1 Engrase un molde redondo de 20 cm de diámetro y fórrelo con papel vegetal.

2 Tamice la harina y la levadura en polvo en un cuenco grande, añada la mantequilla y trabaje con los dedos hasta obtener una consistencia de pan rallado.

3 Añada el azúcar lustre, la manzana picada y las pasas.

4 Vierta la sidra y el huevo, y mezcle hasta obtener una pasta homogénea. Añada las frambuesas con mucho cuidado, para que no se rompan.

5 Disponga la pasta en el molde.

6 Cueza el pastel en el horno precalentado a 190 °C unos 40 minutos, hasta que suba y esté ligeramente dorado.

7 Déjelo unos minutos en el molde y después colóquelo sobre una rejilla metálica. No lo sirva hasta que no se haya enfriado del todo.

VARIACIÓN

Si prefiere no utilizar sidra, sustitúyala por zumo de manzana no muy concentrado.

3

4

4

Corona de manzana con especias

Al incorporar trozos de manzana fresca y almendras en la pasta se consigue que este pastel quede muy jugoso, al tiempo que crujiente.

Para 8 personas

INGREDIENTES

175 g de mantequilla ablandada
175 g de azúcar lustre
3 huevos batidos
175 g de harina de fuerza
1 cucharadita de canela en polvo
1 cucharadita de una mezcla de especias dulces molidas
2 manzanas de postre ralladas
2 cucharadas de zumo de manzana o leche
25 g de almendras fileteadas

1 Engrase ligeramente un molde de corona de 25 cm de diámetro.

2 En un cuenco grande, bata la mantequilla y el azúcar a punto de crema. Incorpore el huevo poco a poco, batiendo bien tras cada adición.

3 Tamice la harina y las especias, e incorpórelas poco a poco en la crema de mantequilla y huevo.

4 Añada la manzana y el zumo o la leche, y mezcle hasta obtener una pasta muy suave.

5 Esparza las almendras fileteadas en la base del molde y, con una cuchara, disponga por encima la pasta. Iguale la superficie con el dorso de la cuchara.

6 Cueza la corona en el horno precalentado a 180 °C unos 30 minutos, hasta que haya subido bien y que, al insertar un pincho de cocina en el centro, salga limpio.

7 Deje el pastel unos minutos en el molde antes de volcarlo sobre una rejilla metálica para que termine de enfriarse. Sírvalo cortado en rebanadas.

SUGERENCIA

Si no dispone de un molde en forma de corona, puede preparar el pastel en un molde redondo normal de 18 cm de diámetro.

Pastel de chocolate bicolor

El efecto bicolor de este bizcocho se consigue combinando en el molde de corona dos pastas elaboradas por separado, una de chocolate y la otra de naranja.

Para 8 personas

INGREDIENTES

175 g de mantequilla ablandada
175 g de azúcar lustre
3 huevos batidos
150 g de harina de fuerza tamizada
25 g de cacao en polvo tamizado
5-6 cucharadas de zumo de naranja
la ralladura de 1 naranja

1 Engrase un molde de corona de 25 cm de diámetro.

2 En un cuenco, bata la mantequilla con el azúcar, con las varillas eléctricas, durante unos 5 minutos.

3 Incorpore el huevo poco a poco, batiendo bien tras cada adición.

4 Con una cuchara metálica, incorpore la harina con cuidado, y a continuación ponga la mitad de la pasta en otro cuenco.

5 Incorpore en un cuenco el cacao y la mitad del zumo de naranja, y mezcle con suavidad.

6 Añada la ralladura de naranja y el resto del zumo en el otro cuenco, y mezcle bien.

7 Coloque en el molde cucharadas alternas de cada mezcla, y después remueva un poco con un pincho de cocina para crear un efecto marmóreo.

8 Cueza el pastel en el horno precalentado a 180 °C unos 30-35 minutos, hasta que haya subido y que, al insertar un pincho de cocina en el centro del bizcocho, salga limpio.

9 Deje enfriar el pastel en el molde antes de desmoldarlo volcándolo sobre una rejilla metálica.

VARIACIÓN

Para potenciar el sabor a chocolate, añada 40 g de gotas de chocolate a la pasta de cacao.

5

6

7

Streusel de café y almendra

El jugoso bizcocho aromatizado con café que conforma la base del pastel queda recubierto con una cobertura crujiente y especiada.

Para 8 personas

INGREDIENTES

275 g de harina
1 cucharada de levadura en polvo
75 g de azúcar lustre
150 ml de leche
2 huevos
100 g de mantequilla derretida y enfriada
2 cucharadas de café instantáneo desleídas en 1 cucharada de agua hirviendo
50 g de almendras picadas
azúcar glasé, para espolvorear

COBERTURA:
75 g de harina de fuerza
75 g de azúcar de Demerara
25 g de mantequilla troceada
1 cucharadita de una mezcla de especias dulces
1 cucharada de agua

1 Engrase ligeramente un molde de 23 cm de diámetro y fórrelo con papel vegetal. Tamice la harina con la levadura en polvo en un cuenco, y después añada el azúcar lustre.

2 Bata la leche con los huevos, la mantequilla y el café, y viértalo sobre los ingredientes secos. Agregue las almendras picadas y mezcle con suavidad. Vierta la mezcla en el molde preparado.

3 Para hacer la cobertura, mezcle la harina con el azúcar en un bol aparte.

4 Incorpore la mantequilla trabajando con los dedos, hasta obtener una consistencia de pan rallado. Agregue las especias y el agua, y mezcle hasta formar migas. Espolvoree con ello la superficie de la pasta.

5 Cueza el pastel en el horno precalentado a 190 °C, unos 50-60 minutos. Si la superficie se empezara a dorar demasiado pronto, cúbralo holgadamente con papel de aluminio. Deje que se enfríe en el molde antes de desmoldarlo. Espolvoréelo con azúcar glasé justo antes de servirlo.

2

2

4

Pastel de frutas sin azúcar

Este pastel tiene todo el sabor de las frutas variadas. Como ya son dulces por sí mismas, no hace falta añadir azúcar.

Para 8-10 personas

INGREDIENTES

350 g de harina
2 cucharaditas de levadura en polvo
1 cucharadita de una mezcla de especias dulces molidas
125 g de mantequilla troceada
75 g de orejones de albaricoque secos que no requieran remojo, picados
75 g de dátiles picados
75 g de cerezas confitadas picadas
100 g de pasas
125 ml de leche
2 huevos batidos
la ralladura de 1 naranja
5-6 cucharadas de zumo de naranja
3 cucharadas de miel bastante líquida

1 Engrase un molde redondo de 20 cm de diámetro y forre la base con papel vegetal.

2 En un bol grande, tamice la harina con la levadura en polvo y las especias.

3 Incorpore la mantequilla y trabaje con las manos hasta obtener una consistencia de pan rallado fino.

4 Con cuidado, añada los orejones, los dátiles, las cerezas y las pasas, así como la leche, el huevo, y la ralladura y el zumo de naranja.

5 Incorpore la miel y mézclelo todo bien para formar una pasta suave. Deposítela en el molde preparado y allane la superficie.

6 Cueza el pastel en el horno precalentado a 180 °C durante 1 hora, o hasta que al insertar un pincho de cocina en el centro, salga limpio.

7 Deje que el pastel se enfríe en el molde antes de desmoldarlo.

VARIACIÓN

Si prefiere una alternativa con más sabor a fruta, sustituya la miel por 1 plátano maduro triturado.

3

4

5

Pastel de almendras

El glaseado de almíbar de miel aporta a este pastel de almendras una exquisita textura, pero también queda delicioso si no se glasea.

Para 8 personas

INGREDIENTES

100 g de margarina cremosa
50 g de azúcar moreno fino
2 huevos
1 cucharadita de levadura en polvo
175 g de harina de fuerza
4 cucharadas de leche
2 cucharadas de miel bastante líquida
50 g de almendras fileteadas

ALMÍBAR:
150 ml de miel bastante líquida
2 cucharadas de zumo de limón

1 Engrase un molde redondo de 18 cm de diámetro y fórrelo con papel vegetal.

2 Ponga la margarina, el azúcar, los huevos, la levadura en polvo, la harina, la leche y la miel en un cuenco grande, y bata bien con una cuchara de madera durante 1 minuto, hasta formar una pasta homogénea.

3 Viértala en el molde, allane la superficie con una espátula o con el dorso de una cuchara, y espolvoree con las almendras.

4 Cueza el pastel en el horno precalentado a 180 °C durante unos 50 minutos, o hasta que haya subido.

5 Mientras tanto, para preparar el almíbar, mezcle en un cazo la miel con el zumo de limón y caliéntelo 5 minutos a fuego lento, o hasta que el almíbar empiece a cubrir el dorso de una cuchara.

6 En cuanto saque el pastel del horno, y sin desmoldarlo, vierta por encima el almíbar, poco a poco para que se impregne bien.

7 Deje que se enfríe al menos 2 horas antes de cortarlo.

SUGERENCIA

Experimente con diferentes tipos de miel para el glaseado hasta encontrar la que más le guste.

Pastel de jengibre

Este pastel de jengibre es muy jugoso porque incorpora manzana fresca picada.

Para 12 porciones

INGREDIENTES

150 g de mantequilla
175 g de azúcar moreno
2 cucharadas de melaza oscura
225 g de harina
1 cucharadita de levadura en polvo
2 cucharaditas de bicarbonato sódico
2 cucharaditas de jengibre molido
150 ml de leche
1 huevo batido
2 manzanas de postre, peladas, picadas y mezcladas con 1 cucharada de zumo de limón

1 Engrase un molde cuadrado para pastel de 23 cm de lado y fórrelo con papel vegetal.

2 En un cazo, derrita a fuego lento la mantequilla, el azúcar y la melaza; deje que se enfríe.

3 En un cuenco, tamice la harina, la levadura, el bicarbonato y el jengibre.

4 Añada la leche, el huevo batido y la preparación de mantequilla y melaza fría, y después la manzana picada.

5 Con cuidado, remueva para mezclarlo todo bien, y, con una cuchara, deposite la pasta en el molde.

6 Cueza el pastel en el horno precalentado a 170 °C durante unos 30-35 minutos, hasta que haya subido y que, al insertar un pincho de cocina en el centro, salga limpio.

7 Deje que el pastel se enfríe por completo en el molde antes de desmoldarlo y cortarlo en 12 porciones cuadradas.

VARIACIÓN

Si le gusta el sabor del jengibre, incorpore en la pasta unos 25 g de jengibre confitado, finamente picado, en el paso 3.

2

4

5

Pastelitos de mantequilla y manzana

Este postre americano consiste en bollos recién horneados, rebanados y rellenos con rodajas de manzana y nata montada. Los pastelitos se pueden comer fríos o calientes.

Para 4 pastelitos

INGREDIENTES

- 150 g de harina
- 1/2 cucharadita de sal
- 1 cucharadita de levadura en polvo
- 1 cucharada de azúcar lustre
- 25 g de mantequilla troceada
- 50 ml de leche
- azúcar glasé, para espolvorear

RELLENO:

- 3 manzanas de postre, peladas, sin el corazón y cortadas en rodajas
- 100 g de azúcar lustre
- 1 cucharada de zumo de limón
- 1 cucharadita de canela en polvo
- 300 ml de agua
- 150 ml de nata líquida espesa, ligeramente montada

1 Engrase ligeramente una bandeja para el horno.

2 En un cuenco, tamice la harina, la sal y la levadura en polvo. Añada el azúcar y después la mantequilla, y trabaje con los dedos hasta obtener una consistencia de pan rallado.

3 Vierta la leche y amase hasta obtener una pasta fina. Extiéndala con el rodillo sobre una superficie enharinada, en un disco de 1 cm de grosor. Con un cortapastas acanalado de 5 cm de diámetro, corte 4 redondeles. Dispóngalos en la bandeja.

4 Cuézalos en el horno precalentado a 200 °C unos 15 minutos, hasta que hayan subido y estén ligeramente dorados. Deje que se enfríen.

5 Para hacer el relleno, ponga la manzana, el azúcar, el zumo de limón y la canela en un cazo.

6 Vierta el agua, llévelo a ebullición y cuézalo a fuego lento, sin tapar, unos 5-10 minutos, hasta que la manzana esté tierna. Deje que se entibie y retírela.

7 Rebane los bollos por la mitad. Coloque la parte de abajo sobre platos individuales y reparta las rodajas de manzana; ponga un poco de nata montada encima. Cúbralos con la parte superior. Sírvalos espolvoreados con azúcar glasé, si lo desea.

3

3

6

Bollos de melaza

Estos bollos son ligeros y mantecosos como los tradicionales scones, *pero tienen un sabor intenso debido a la adición de melaza oscura.*

Para 8 bollos

INGREDIENTES

225 g de harina de fuerza
1 cucharada de azúcar lustre
una pizca de sal
75 g de mantequilla troceada
1 manzana de postre, pelada, sin el corazón y picada
1 huevo batido
2 cucharadas de melaza oscura
75 g de leche

1 Engrase ligeramente una bandeja para el horno.

2 Tamice la harina, el azúcar y la sal en un cuenco grande.

3 Incorpore la mantequilla y trabaje con los dedos hasta obtener una textura de pan rallado.

4 Añada la manzana picada y mezcle bien.

5 En una jarra ancha, mezcle el huevo con la melaza y la leche. Viértalo sobre la mezcla anterior y forme una pasta suave.

6 Con el rodillo, extiéndala sobre una superficie enharinada en un disco de 2 cm de grosor. Con un cortapastas de 5 cm de diámetro, recorte 8 redondeles.

7 Colóquelos en la bandeja engrasada y cuézalos en el horno precalentado a 220 °C durante unos 8-10 minutos.

8 Deje los bollos sobre una rejilla metálica para que se enfríen un poco.

9 Sírvalos rebanados por la mitad y untados con mantequilla.

SUGERENCIA

Estos bollos se pueden congelar, pero se recomienda descongelarlos y consumirlos antes de un mes.

Bollos de cereza

Esta alternativa a los scones *tradicionales incorpora cerezas confitadas, que no sólo aportan color, sino también su sabor característico.*

Para 8 bollos

INGREDIENTES

225 g de harina de fuerza
1 cucharada de azúcar lustre
una pizca de sal
75 g de mantequilla troceada
40 g de cerezas confitadas, picadas
40 g de sultanas
1 huevo batido
50 ml de leche

1 Engrase ligeramente una bandeja para el horno.

2 En un cuenco grande, tamice la harina, el azúcar y la sal. Incorpore la mantequilla y trabaje con los dedos hasta obtener una consistencia de pan rallado.

3 Añada las cerezas confitadas y las sultanas, y a continuación el huevo.

4 Reserve 1 cucharada de leche para el glaseado e incorpore el resto en la mezcla. Amase hasta formar una pasta suave.

5 Con el rodillo, extienda la pasta sobre una superficie enharinada en un disco de 2 cm de grosor. Con un cortapastas de 5 cm de diámetro, recorte 8 redondeles.

6 Coloque los redondeles en la bandeja y píntelos con leche.

7 Cueza los bollos en el horno precalentado a 220 °C, unos 8-10 minutos o hasta que estén dorados.

8 Deje que se enfríen sobre una rejilla y sírvalos rebanados y untados con mantequilla.

SUGERENCIA

Estos bollos se pueden congelar, pero se recomienda descongelarlos y consumirlos antes de un mes.

Muffins de arándanos

Estos sabrosos muffins *son estupendos para acompañar una sopa, y también como alternativa a los pasteles dulces para servirlos con el café.*

Para 18 muffins

INGREDIENTES

225 g de harina
2 cucharaditas de levadura en polvo
1/2 cucharadita de sal
50 g de azúcar lustre
50 g de mantequilla derretida
2 huevos batidos
200 ml de leche
100 g de arándanos frescos
2 cucharadas de queso parmesano recién rallado

1 Engrase ligeramente 2 moldes múltiples para *muffins*.

2 En un cuenco, tamice la harina con la levadura en polvo y la sal, y después añada el azúcar.

3 En un cuenco aparte, mezcle la mantequilla con el huevo y la leche, y a continuación viértalo sobre los ingredientes secos.

4 Mezcle con suavidad hasta obtener una pasta homogénea, y después incorpore los arándanos.

5 Vierta la pasta en los huecos de los moldes preparados.

6 Espolvoree los *muffins* con el queso rallado.

7 Cueza los *muffins* en el horno precalentado a 200 °C durante unos 20 minutos, o hasta que hayan subido y adquirido un tono dorado.

8 Deje que los *muffins* se entibien en los moldes. Después, colóquelos sobre una rejilla metálica y deje que se acaben de enfriar antes de servirlos.

VARIACIÓN

Si prefiere una alternativa dulce para esta receta, sustituya el parmesano por azúcar moreno granulado.

Galletas y pastas dulces

No hay nada mejor que una galleta casera para alegrar una pausa para toma un café o un té a media tarde. En este capítulo hallará una selección de deliciosas recetas de galletas y pastas sumamente tentadoras.

Algunas son rápidas y fáciles de hacer, como las medias lunas de limón, los merengues, los brownies *con pepitas de chocolate y las galletas de jengibre. La forma de las galletas y pastas, por supuesto, se puede variar, según el cortapastas del que se disponga o dando rienda suelta a la imaginación.*

Para hacer galletas es imprescindible utilizar ingredientes de primera calidad: los frutos secos deberán ser lo más frescos posible; los distintos tipos de chocolate y azúcar, de la mejor calidad. Asimismo, descubrirá que las mejores galletas son las que se hacen con mantequilla.

Deje siempre que las galletas se enfríen sobre una rejilla metálica, y después guárdelas en un recipiente hermético para que no se enrancien.

Galletas de especias

Estas galletas aromatizadas con especias son perfectas para servir con una macedonia o un helado como postre rápido improvisado.

Para unas 24 galletas

INGREDIENTES

175 g de mantequilla sin sal
175 g de azúcar integral oscuro
225 g de harina
una pizca de sal
1/2 cucharadita de bicarbonato sódico
1 cucharadita de canela molida
1/2 cucharadita de cilantro molido
1/2 cucharadita de nuez moscada molida
1/4 de cucharadita de clavo molido
2 cucharadas de ron oscuro

1 Engrase ligeramente 2 bandejas para el horno.

2 En un cuenco, bata la mantequilla con el azúcar a punto de crema.

3 Tamice sobre la crema de mantequilla la harina, la sal, el bicarbonato, la canela, el cilantro, la nuez moscada y el clavo, y bata bien.

4 Vierta el ron oscuro e incorpórelo, mezclando.

5 Con 2 cucharitas, coloque montoncitos de pasta sobre las bandejas, separados entre sí unos 7 cm porque crecen durante la cocción. Aplánelos un poco con el dorso de una cuchara.

6 Cueza las galletas en el horno precalentado a 180 °C unos 10-12 minutos, hasta que se doren.

7 Deje las galletas sobre una rejilla metálica para que se enfríen y adquieran consistencia antes de servirlas.

SUGERENCIA

Aplane la pasta ligeramente con un tenedor antes de hornear las galletas.

2

3

5

Cuadrados de canela y pipas de girasol

Muy jugosos, estos cuadrados de pastel están aromatizados con especias.

Para 12 unidades

INGREDIENTES

250 g de mantequilla ablandada
250 g de azúcar lustre
3 huevos batidos
250 g de harina de fuerza
1/2 cucharadita de bicarbonato sódico
1 cucharada de canela en polvo
150 ml de crema agria
100 g de pipas de girasol sin sal, peladas

1 Engrase un molde cuadrado de 23 cm de lado y forre la base con papel vegetal.

2 En un cuenco grande, bata la mantequilla con el azúcar a punto de crema.

3 Vaya incorporando el huevo poco a poco, batiendo bien tras cada adición.

4 Tamice la harina de fuerza, el bicarbonato y la canela sobre la mezcla, y remueva con suavidad con una cuchara metálica.

5 Con una cuchara, añada la crema agria y las pipas, y mezcle con cuidado.

6 Vierta la pasta en el molde preparado y allane la superficie con una espátula o con el dorso de una cuchara.

7 Cueza el pastel en el horno precalentado a 180 °C durante unos 45 minutos, hasta que se note firme al tacto al presionar con el dedo.

8 Con un cuchillo de punta redondeada, desprenda el pastel de los bordes. Desmóldelo y colóquelo sobre una rejilla para que se enfríe. Córtelo en 12 cuadrados.

SUGERENCIA

Congelados, estos jugosos cuadrados se conservan hasta un mes.

3

4

5

Galletas de jengibre

Estas auténticas galletas de jengibre, con un toque de sabor a naranja, resultan insuperables si se consumen recién horneadas.

Para unas 30 galletas

INGREDIENTES

350 g de harina de fuerza
una pizca de sal
200 g de azúcar lustre
1 cucharada de jengibre molido
1 cucharadita de bicarbonato sódico
125 g de mantequilla
75 g de sirope dorado
1 huevo batido
1 cucharadita de ralladura de naranja

1 Engrase ligeramente varias bandejas para el horno.

2 Tamice la harina, la sal, el azúcar, el jengibre y el bicarbonato en un cuenco grande.

3 En un cazo, caliente la mantequilla con el sirope dorado a fuego muy lento, hasta que la mantequilla se haya derretido.

4 Deje que se enfríe un poco y viértalo sobre los ingredientes secos.

5 Añada el huevo y la ralladura de naranja y amase bien.

6 Con las manos, forme 30 bolas de pasta del mismo tamaño.

7 Dispóngalas sobre las bandejas de hornear bien separadas, y después aplánelas un poco con los dedos.

8 Cueza las galletas en el horno precalentado a 160 °C durante unos 15-20 minutos, y después deje que se enfríen del todo sobre una rejilla metálica.

SUGERENCIA

Guarde las galletas en un recipiente hermético y consúmalas en una semana.

VARIACIÓN

Si las prefiere crujientes, déjelas unos minutos más en el horno.

3

4

7

Galletas de alcaravea

Las semillas de alcaravea aportan a estas galletas su sabor característico.

Para unas 36 galletas

INGREDIENTES

225 g de harina
una pizca de sal
100 g de mantequilla troceada
225 g de azúcar lustre
1 huevo batido
2 cucharadas de semillas de alcaravea
azúcar de Demerara, para espolvorear (opcional)

1 Engrase ligeramente varias bandejas para hornear.

2 Tamice la harina y la sal en un cuenco. Añada la mantequilla y trabaje con los dedos hasta obtener una consistencia de pan rallado. Agregue el azúcar lustre.

3 Reserve 1 cucharada de huevo batido para pintar las galletas, e incorpore el resto en la mezcla anterior, junto con las semillas de alcaravea. Forme una pasta suave.

4 Con el rodillo, extienda la pasta bien fina sobre una superficie enharinada. Con un cortapastas de 6 cm de diámetro, recorte unos 36 redondeles.

5 Coloque los redondeles en las bandejas preparadas, píntelos con el huevo reservado y espolvoréelos con el azúcar de Demerara.

6 Cueza las galletas en el horno precalentado a 160 °C, unos 10-15 minutos, hasta que estén ligeramente doradas y crujientes.

7 Deje que se enfríen sobre una rejilla metálica y guárdelas en un recipiente hermético.

VARIACIÓN

Las semillas de alcaravea tienen un delicado sabor a fruto seco, un poco anisado. Si no le gustan, sustitúyalas por semillas de amapola de la variedad más suave.

2

3

4

Galletas de cacahuete

Estas crujientes galletas, que harán las delicias de los niños de todas las edades, se elaboran con crema de cacahuete.

Para 20 galletas

INGREDIENTES

125 g de mantequilla ablandada
150 g de crema de cacahuete crujiente
225 g de azúcar granulado
1 huevo ligeramente batido
150 g de harina
1/2 cucharadita de levadura en polvo
una pizca de sal
75 g de cacahuetes sin tostar y sin sal, picados

1 Engrase ligeramente 2 bandejas para el horno.

2 En un cuenco grande, bata la mantequilla con la crema de cacahuete.

3 Poco a poco, añada el azúcar granulado, batiendo bien.

4 Incorpore el huevo batido gradualmente, y remueva hasta que todo esté bien mezclado.

5 Tamice por encima de la preparación la harina, la levadura en polvo y la sal.

6 Añada los cacahuetes y mezcle para formar una pasta suave. Envuélvala y deje que se enfríe unos 30 minutos en la nevera.

7 Forme unas 20 bolitas de pasta y colóquelas sobre las bandejas, separadas entre ellas unos 5 cm porque las galletas crecen durante la cocción. Aplánelas ligeramente con la mano.

8 Cueza las galletas en el horno precalentado a 190 °C unos 15 minutos, hasta que estén doradas. Dispóngalas sobre una rejilla metálica para que se enfríen.

SUGERENCIA

Para una consistencia crujiente y un aspecto brillante, espolvoree las galletas con azúcar moreno granulado antes de hornearlas.

2

6

7

Cuadrados de avellana

Estas pastas se pueden preparar rápidamente para acompañar un café con leche o un té. Si lo desea, sustituya las avellanas picadas por cualquier otro fruto seco de su elección.

Para 16 unidades

INGREDIENTES

150 g de harina
una pizca de sal
1 cucharadita de levadura en polvo
100 g de mantequilla troceada
150 g de azúcar moreno
1 huevo batido
4 cucharadas de leche
100 g de avellanas partidas por la mitad
azúcar de Demerara para espolvorear (opcional)

1 Engrase un molde cuadrado de 23 cm de lado y forre la base con papel vegetal.

2 Tamice la harina, la sal y la levadura en un bol grande.

3 Añada la mantequilla y trabaje con los dedos hasta obtener una consistencia de pan rallado. Agregue el azúcar moreno.

4 Añada el huevo, la leche y los frutos secos, y remueva bien hasta que la pasta tenga una textura homogénea.

5 Disponga la pasta en el molde preparado e iguale la superficie. Si lo desea, espolvoree con el azúcar de Demerara.

6 Cueza el pastel en el horno precalentado a 180 °C, unos 25 minutos o hasta que se note firme al tacto al presionarlo con el dedo.

7 Déjelo reposar 10 minutos antes de desmoldarlo. Con un cuchillo, despréndalo del molde, y deje que se enfríe sobre una rejilla metálica. Córtelo en cuadrados.

VARIACIÓN

Si piensa elaborar estas pastas para servirlas con café, sustituya la leche por la misma cantidad de café negro muy fuerte (cuanto más, mejor).

3

4

5

Hojuelas de coco

Recién horneadas, estas jugosas hojuelas son ideales para merendar.

Para 16 porciones

INGREDIENTES

200 g de mantequilla
200 g de azúcar de Demerara
2 cucharadas de sirope dorado
275 g de copos de avena
100 g de coco rallado
75 g de cerezas confitadas, picadas

1 Engrase ligeramente una bandeja de hornear de 30 x 23 cm.

2 En una cazuela, caliente la mantequilla, el azúcar y el sirope dorado hasta que se derritan.

3 Añada los copos de avena, el coco rallado y las cerezas confitadas y mezcle bien hasta obtener una pasta homogénea.

4 Extienda la pasta sobre la bandeja de hornear y, con una espátula o con el dorso de una cuchara, iguale bien la superficie.

5 Cueza el pastel en el horno precalentado a 170 °C, durante unos 30 minutos.

6 Retire la bandeja del horno y deje que el pastel se enfríe 10 minutos.

7 Córtelo en cuadrados con un cuchillo afilado.

8 Con cuidado, pase las hojuelas a una rejilla metálica para que se enfríen por completo.

SUGERENCIA

Estas pastas se deben guardar en un recipiente hermético y consumir antes de una semana. También se pueden congelar, hasta un mes.

2

3

4

Galletas de pasas y copos de avena

Estas galletas con pasas y copos de avena son un delicioso acompañamiento para una taza de té.

Para 10 galletas

INGREDIENTES

50 g de mantequilla
125 g de azúcar lustre
1 huevo batido
50 g de harina
1/2 cucharadita de sal
1/2 cucharadita de levadura en polvo
175 g de copos de avena
125 g de pasas
2 cucharadas de semillas de sésamo

1 Engrase ligeramente 2 bandejas de hornear.

2 En un cuenco grande, bata la mantequilla y el azúcar a punto de crema.

3 Incorpore el huevo poco a poco, batiendo bien.

4 Tamice sobre la crema la harina, la sal y la levadura en polvo. Remueva bien.

5 Añada los copos de avena, las pasas y las semillas de sésamo, y mézclelo todo bien.

6 Coloque cucharadas de pasta sobre las bandejas de hornear, bien separadas entre ellas, y aplánelas un poco con el dorso de una cuchara.

7 Cueza las galletas en el horno precalentado a 180 °C durante unos 15 minutos.

8 Deje que se enfríen un poco en la bandeja.

9 Después, dispóngalas en una rejilla metálica y deje que se enfríen por completo antes de servirlas.

VARIACIÓN

Si lo prefiere, sustituya las pasas por orejones de albaricoque que no requieran remojo, picados.

SUGERENCIA

Para que estas galletas se conserven deliciosas unos días, guárdelas en un recipiente hermético.

Galletas de romero

Tal vez a alguien le sorprenda que se utilice romero para elaborar unas galletas. Sin embargo, quedan estupendas.

Para unas 25 galletas

INGREDIENTES

- 50 g de mantequilla ablandada
- 4 cucharadas de azúcar lustre
- 4 cucharadas de zumo de limón
- la ralladura de 1 limón
- 1 huevo, con la yema separada de la clara
- 2 cucharaditas de romero fresco finamente picado
- 200 g de harina tamizada
- azúcar lustre, para espolvorear (opcional)

1 Engrase ligeramente 2 bandejas de hornear.

2 En un cuenco grande, bata la mantequilla con el azúcar a punto de crema.

3 Añada el zumo y la ralladura de limón, después la yema de huevo, y bata hasta que todo esté bien mezclado. Incorpore el romero picado.

4 Agregue la harina y mezcle hasta obtener una pasta suave. Envuélvala y deje que se enfríe 30 minutos en la nevera.

5 Sobre una superficie ligeramente enharinada, extienda la pasta bien fina con el rodillo. Con un cortapastas, de 6 cm de diámetro, recorte unos 25 redondeles. Dispóngalos sobre las bandejas preparadas.

6 En un bol, bata ligeramente la clara de huevo. Pinte con ella la superficie de cada galleta, y después espolvoréelas con un poco de azúcar lustre.

7 Cueza las galletas en el horno precalentado a 180 °C durante unos 15 minutos.

8 Deje que se enfríen sobre una rejilla metálica antes de servirlas.

SUGERENCIA

Estas galletas se conservan hasta 1 semana guardadas en un recipiente hermético.

VARIACIÓN

Si lo prefiere, en lugar de romero fresco utilice 1 1/2 cucharaditas de romero seco.

Medias lunas

Si quiere darse un capricho dulce, pruebe estas galletas aromatizadas con piel de cítricos y zumo de naranja.

Para unas 25 galletas

INGREDIENTES

100 g de mantequilla ablandada
75 g de azúcar lustre
1 huevo, con la yema separada de la clara
200 g de harina
la ralladura de 1 naranja
la ralladura de 1 limón
la ralladura de 1 lima
2-3 cucharadas de zumo de naranja
azúcar lustre, para espolvorear (opcional)

1 Engrase ligeramente 2 bandejas para el horno.

2 En un cuenco grande, bata la mantequilla con el azúcar a punto de crema; incorpore el huevo poco a poco.

3 Tamice la harina sobre la crema y remueva bien. Añada la ralladura de cítricos y suficiente zumo de naranja para formar una pasta suave.

4 Con el rodillo, extienda la pasta sobre una superficie ligeramente enharinada. Con un cortapastas de 7,5 cm de diámetro, recorte redondeles y después forme las medias lunas recortando una cuarta parte de cada redondel. Amase los restos de pasta, y vuelva a extenderlos y a cortar hasta obtener un total de 25 medias lunas.

5 Disponga las pastas sobre las bandejas preparadas y pinche la superficie con un tenedor.

6 En un bol, bata ligeramente la clara de huevo y pinte con ella las medias lunas. Si lo desea, espolvoree las galletas con azúcar lustre.

7 Cueza las galletas en el horno precalentado a 200 °C unos 12-15 minutos. Deje que se enfríen sobre una rejilla metálica antes de servirlas.

SUGERENCIA

Guarde las medias lunas en un recipiente hermético. Congeladas, se conservan hasta un mes.

3

4

5

Pastas de limón

Estas deliciosas pastas con sabor a limón quedan aún más atractivas si se espolvorean generosamente con azúcar glasé antes de servirlas.

Para unas 50 unidades

INGREDIENTES

100 g de mantequilla ablandada
125 g de azúcar lustre
la ralladura de 1 limón
1 huevo batido
4 cucharadas de zumo de limón
350 g de harina
1 cucharadita de levadura en polvo
1 cucharada de leche
azúcar glasé, para espolvorear

1 Engrase ligeramente varias bandejas para el horno.

2 En un cuenco, bata la mantequilla con el azúcar y la ralladura de limón a punto de crema.

3 Poco a poco, incorpore el huevo batido y el zumo de limón, batiendo bien tras cada adición.

4 Tamice la harina y la levadura en polvo sobre la crema y mezcle bien. Agregue la leche y amase hasta formar una pasta.

5 Ponga la pasta en una superficie ligeramente enharinada y divídala en unos 50 trozos iguales.

6 Con las manos, forme con cada trozo un cilindro y tuérzalos para darles forma de S.

7 Distribuya las pastas entre las bandejas preparadas y cuézalas en el horno precalentado a 170 °C unos 15-20 minutos. Deje que se enfríen del todo sobre una rejilla metálica. Espolvoréelas con azúcar glasé antes de servirlas.

VARIACIÓN

Dé a estas pastas la forma que desee, por ejemplo, de letras o figuras geométricas, o simplemente elabore galletas redondas normales.

2

4

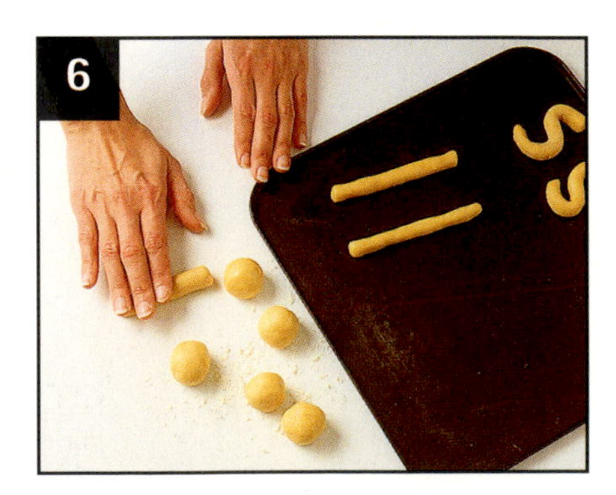
6

Ruedas de chocolate y limón

Estas asombrosas pastas harán que sus invitados se pregunten qué misteriosos ingredientes les dan ese exótico sabor.

Para unas 40 unidades

INGREDIENTES

175 g de mantequilla ablandada
300 g de azúcar lustre
1 huevo batido
350 g de harina
25 g de chocolate, derretido y tibio
la ralladura de 1 limón

1 Engrase y enharine varias bandejas para el horno.

2 En un cuenco grande, bata la mantequilla con el azúcar a punto de crema.

3 Incorpore el huevo poco a poco, batiendo bien tras cada adición.

4 Tamice la harina sobre la crema y trabájelo hasta obtener una pasta suave.

5 Ponga la mitad de la pasta en otro cuenco e incorpore el chocolate derretido tibio.

6 Añada la ralladura de limón a la otra mitad de la pasta.

7 Sobre una superficie enharinada, extienda con el rodillo las 2 pastas hasta formar 2 rectángulos del mismo tamaño.

8 Coloque la pasta de limón sobre la otra. Enróllelas juntas bien fuerte, como un brazo de gitano, utilizando una hoja de papel vegetal como guía. Deje que la pasta se enfríe en la nevera.

9 Corte el cilindro en unas 40 rebanadas, dispóngalas en las bandejas y cueza las galletas en el horno precalentado a 190 °C unos 10-12 minutos, o hasta que estén ligeramente doradas. Pase las ruedas a una rejilla metálica y deje que se enfríen del todo antes de servirlas.

SUGERENCIA

Para que le resulte más fácil extender la pasta con el rodillo, colóquela entre 2 láminas de papel vegetal.

5

8

9

Galletas de chocolate blanco

Estas suculentas galletas, a las que el chocolate blanco aporta un sabor delicioso, se deshacen en la boca.

Para 24 galletas

INGREDIENTES

125 g de mantequilla ablandada
125 g de azúcar moreno fino
1 huevo batido
200 g de harina de fuerza
una pizca de sal
125 g de chocolate blanco troceado
50 g de nueces del Brasil, troceadas

1 Engrase ligeramente varias bandejas de hornear.

2 En un cuenco grande, bata la mantequilla con el azúcar a punto de crema.

3 Incorpore el huevo poco a poco, batiendo bien tras cada adición.

4 Tamice la harina y la sal sobre la crema, y remueva para mezclar bien.

5 Añada los trozos de chocolate blanco y las nueces del Brasil.

6 Deposite cucharaditas colmadas de mezcla sobre las bandejas de hornear, bien espaciadas. Es mejor que no ponga más de 6 cucharaditas por bandeja, porque la pasta crece mucho durante la cocción.

7 Cueza las galletas en el horno precalentado a 190 °C durante unos 10-12 minutos, o hasta que estén doradas.

8 Disponga las galletas sobre una rejilla metálica y deje que se enfríen del todo antes de servirlas.

VARIACIÓN

Si lo desea, puede utilizar chocolate con leche en lugar de blanco.

Abanicos de mantequilla

Estas pastas son perfectas para servirlas con el té de la tarde, o también para acompañar el helado del postre.

Para 8 pastas

INGREDIENTES

125 g de mantequilla ablandada
40 g de azúcar granulado
25 g de azúcar glasé
225 g de harina
una pizca de sal
2 cucharaditas de agua de azahar
azúcar lustre, para espolvorear

1 Engrase ligeramente un molde para pastel redondo de 20 cm de diámetro.

2 En un cuenco grande, bata la mantequilla con el azúcar granulado y el azúcar glasé a punto de crema.

3 Tamice la harina y la sal sobre la crema. Agregue el agua de azahar y amase hasta formar una pasta suave.

4 Con el rodillo, extienda la pasta sobre una superficie ligeramente enharinada, en un redondel de 20 cm de diámetro. Introdúzcalo en el molde. Ajuste la pasta al molde, decore el borde marcándolo con un tenedor, y señale 8 porciones con un cuchillo de punta redonda.

5 Cueza el pastel en el horno precalentado a 160 °C durante unos 30-35 minutos, o hasta que esté dorado y crujiente.

6 Para obtener los abanicos, espolvoréelo con azúcar lustre y córtelo por las líneas marcadas.

7 Deje enfriar las pastas antes de sacarlas del molde. Guárdelas en un recipiente hermético.

SUGERENCIA

Para unas pastas crujientes, espolvoree 2 cucharadas de frutos secos variados picados sobre la pasta antes de hornearla.

Pastas de mantequilla de lujo

Estos suculentos rectángulos de pasta con sabor a mantequilla recubiertos de caramelo y con un acabado de chocolate... ¡son todo un lujo!

Para 12 pastas

INGREDIENTES

175 g de harina
125 g de mantequilla troceada
50 g de azúcar moreno fino, tamizado

COBERTURA:
50 g de mantequilla
50 g de azúcar moreno fino
1 bote de 400 g de leche condensada
150 g de chocolate con leche

1 Engrase un molde para pasteles cuadrado de 23 cm.

2 Tamice la harina en un cuenco, añada la mantequilla y trabaje con los dedos hasta obtener una consistencia de pan rallado. Agregue el azúcar y mezcle para formar una pasta dura.

3 Presione la pasta contra la base del molde y pínchela con un tenedor.

4 Cuézala en el horno precalentado a 190 °C unos 20 minutos, hasta que se dore un poco. Déjela enfriarse en el molde.

5 Para la cobertura, en un cazo antiadherente, caliente a fuego lento la mantequilla, el azúcar y la leche condensada, sin dejar de remover, hasta que llegue a hervir.

6 Baje la temperatura y cuézalo otros 4-5 minutos, hasta que el caramelo tenga un color dorado pálido, se espese y empiece a desprenderse de los bordes del cazo. Vierta la cobertura sobre la pasta y deje que se enfríe.

7 Cuando la cobertura de caramelo esté dura, derrita el chocolate con leche en un cuenco refractario colocado sobre un cazo con agua caliente. Extiéndalo sobre el pastel, déjelo en un lugar fresco y, cuando esté frío, córtelo en rectángulos o cuadrados.

SUGERENCIA

Asegúrese de que la capa de caramelo está totalmente fría y cuajada antes de cubrirla con la de chocolate, pues si no lo estuviera, se mezclarían.

2

3

6

Corazones de vainilla

Éstas son las clásicas pastas de mantequilla, las que se deshacen en la boca. Pero en este caso se les da una bonita forma de corazón, para que además sean llamativas.

Para unas 16 unidades

INGREDIENTES

- 225 g de harina
- 150 g de mantequilla troceada
- 125 g de azúcar lustre
- 1 cucharadita de extracto de vainilla
- azúcar lustre, para espolvorear

1 Engrase ligeramente una bandeja para el horno.

2 Tamice la harina en un cuenco grande, añada la mantequilla y trabaje con los dedos hasta obtener una consistencia de pan rallado.

3 Agregue el azúcar lustre y el extracto de vainilla, y amase con las manos hasta obtener una pasta firme.

4 Extienda la pasta con el rodillo sobre una superficie ligeramente enharinada hasta que tenga un grosor de 2,5 cm. Con un cortapastas en forma de corazón de unos 5 cm de ancho y al menos 2,5 cm de profundidad, recorte las 12 pastas; aproveche los recortes.

5 Disponga los corazones sobre la bandeja preparada. Cuézalos en el horno precalentado a 180 °C, unos 15-20 minutos, hasta que se doren un poco.

6 Deje las pastas sobre una rejilla metálica para que se enfríen. Espolvoréelas con un poco de azúcar lustre antes de servirlas.

SUGERENCIA

Introduzca una vaina de vainilla en el bote en el que guarde el azúcar lustre. Al cabo de unas semanas, el azúcar habrá adquirido un exquisito aroma.

2

3

4

Empedrados

Estos empedrados son más consistentes que una galleta. Se recomienda servirlos recién horneados.

Para 8 unidades

INGREDIENTES

200 g de harina
2 cucharaditas de levadura en polvo
100 g de mantequilla troceada
75 g de azúcar de Demerara
100 g de sultanas
25 g de cerezas confitadas, picadas finas
1 huevo batido
2 cucharadas de leche

1 Engrase ligeramente una bandeja para el horno.

2 Tamice la harina y la levadura en un cuenco. Añada la mantequilla y trabaje con los dedos hasta obtener una consistencia de pan rallado.

3 Incorpore el azúcar, las sultanas y las cerezas picadas.

4 Agregue el huevo batido y la leche, y mezcle hasta formar una pasta suave.

5 Ponga 8 cucharadas de mezcla sobre la bandeja de hornear, bien espaciadas porque crecen durante la cocción.

6 Cueza los empedrados en el horno precalentado a 200 °C durante unos 15-20 minutos, hasta que estén firmes al tacto al presionarlos con el dedo.

7 Retire los empedrados de la bandeja. Sírvalos calientes recién sacados del horno, o bien páselos a una rejilla metálica y déjelos enfriar antes de servirlos.

SUGERENCIA

Puede preparar los ingredientes secos con antelación y añadir los líquidos justo antes de hornear.

2

3

5

Brownies con pepitas de chocolate

Para hacer estos brownies *escoja un chocolate de buena calidad. Así tendrán un sabor intenso, pero no excesivamente dulce.*

Para 12 unidades

INGREDIENTES

150 g de chocolate negro troceado
225 g de mantequilla ablandada
225 g de harina de fuerza
125 g de azúcar lustre
4 huevos batidos
75 g de pistachos picados
100 g de chocolate blanco picado grueso
azúcar glasé, para espolvorear

1 Engrase ligeramente un molde cuadrado de 23 cm y forre la base con papel vegetal.

2 Derrita el chocolate negro y la mantequilla en un bol refractario colocado sobre un cazo con agua caliente. Deje que se entibie.

3 En otro cuenco, tamice la harina; añada el azúcar lustre.

4 Incorpore el huevo en la crema de chocolate, y después viértala sobre la harina con azúcar, batiendo bien. Incorpore los pistachos y el chocolate blanco y vierta la pasta en el molde; extiéndala bien.

5 Cueza el pastel en el horno precalentado a 180 °C durante unos 30-35 minutos, hasta que esté firme al tacto. Deje que se enfríe 20 minutos en el molde, y después desmóldelo sobre una rejilla metálica.

6 Cuando esté frío, espolvoréelo con azúcar glasé y córtelo en 12 porciones.

SUGERENCIA

La pasta no estará firme del todo por la parte central al sacarla del horno, pero acabará de cuajar mientras se enfríe.

4

Pastas secas de chocolate

Estas galletas secas son deliciosas servidas con el café, después de una comida.

Para 16 unidades

INGREDIENTES

1 huevo
100 g de azúcar lustre
1 cucharadita de extracto de vainilla
125 g de harina
$^{1}/_{2}$ cucharadita de levadura en polvo
1 cucharadita de canela molida
50 g de chocolate negro picado grueso
50 g de almendras fileteadas
50 g de piñones

1 Engrase una bandeja grande para el horno.

2 En un bol, bata el huevo con el azúcar y el extracto de vainilla con las varillas eléctricas, hasta obtener una crema espesa y pálida: al levantar las varillas, deberían caer hilos.

3 Tamice la harina, la levadura en polvo y la canela en un cuenco aparte. Mezclando con cuidado, incorpórelo en la crema. Añada el chocolate, las almendras y los piñones.

4 Sobre una superficie enharinada, forme con la pasta un cilindro de unos 23 cm de largo y un grosor de 1,5 cm. Póngalo en la bandeja preparada.

5 Cueza la pasta en el horno precalentado a 180 °C durante unos 20-25 minutos, o hasta que se dore. Retírela del horno y deje que se enfríe 5 minutos o hasta que se endurezca.

6 Coloque el cilindro en una tabla de cortar. Con un cuchillo de sierra, córtelo en rodajas diagonales de 1 cm de grosor y colóquelas sobre la bandeja de hornear. Hornéelas otros 10-15 minutos, dándoles la vuelta a media cocción.

7 Deje que se enfríen 5 minutos antes de pasarlas a una rejilla para que acaben de enfriarse.

SUGERENCIA

Guarde las pastas en un recipiente hermético y consúmalas antes de 2 semanas.

2

Almendrados de chocolate

Siempre resulta agradable acompañar un café con leche o un té con los clásicos almendrados. Pues éstos, que incorporan chocolate, son todavía mejores.

Para 18 almendrados

INGREDIENTES

75 g de chocolate negro troceado
2 claras de huevo
una pizca de sal
200 g de azúcar lustre
125 g de almendra molida
coco rallado, para espolvorear (opcional)

1 Engrase 2 bandejas para el horno y fórrelas con papel vegetal o con papel de arroz.

2 Derrita el chocolate negro en un bol refractario colocado sobre un cazo con agua caliente. Deje que se entibie.

3 En un bol, bata las claras con la sal a punto de nieve suave.

4 Poco a poco, vaya incorporando el azúcar en las claras, y a continuación la almendra y el chocolate fundido enfriado.

5 Vierta cucharaditas colmadas de pasta sobre las bandejas, bien espaciadas entre ellas, y extiéndalas en círculos de unos 6 cm de diámetro. Espolvoree con el coco rallado, si lo desea.

6 Cueza los almendrados en el horno precalentado a 150 °C durante unos 25 minutos, o hasta que estén cocidos.

7 Deje que se entibien antes de levantarlos con cuidado de las bandejas. Póngalos sobre una rejilla metálica y deje que se enfríen del todo antes de servirlos.

SUGERENCIA

Guarde los almendrados en un bote hermético hasta 1 semana.

VARIACIÓN

Para un acabado más tradicional, ponga encima de cada almendrado media guinda antes de hornearlos.

4

Florentinas

Estas galletas de lujo resultan deliciosas en cualquier época del año, pero son especialmente indicadas para la Navidad.

Para 8-10 galletas

INGREDIENTES

50 g de mantequilla
50 g de azúcar lustre
25 g de harina tamizada
50 g de almendras picadas
50 g de una mezcla de piel de cítricos picada
25 g de pasas picadas
25 g de cerezas confitadas picadas
la ralladura muy fina de 1 limón
125 g de chocolate negro derretido

1 Forre 2 bandejas grandes para el horno con papel vegetal.

2 Caliente la mantequilla y el azúcar lustre en un cazo hasta que la mantequilla se haya fundido y el azúcar, disuelto. Retire el cazo del fuego.

3 Añada la harina y mezcle bien. Incorpore las almendras, la piel de cítricos, las pasas, las cerezas y la ralladura de limón. Coloque cucharadas de pasta, bien espaciadas, en las bandejas de hornear.

4 Cueza las galletas en el horno precalentado a 180 °C, unos 10 minutos o hasta que estén ligeramente doradas.

5 En cuanto retire las florentinas del horno, y sin sacarlas de la bandeja, pula los bordes con un cortapastas. Déjelas enfriar en la bandeja hasta que estén firmes, y después páselas a una rejilla metálica para se acaben de enfriar.

6 Extienda el chocolate fundido sobre el lado liso de cada galleta. Cuando empiece a cuajar, dibuje unos trazos ondulados con un tenedor. Deje que las galletas se acaben de enfriar, con el lado del chocolate hacia arriba.

VARIACIÓN

Recubra las florentinas con chocolate blanco en lugar de negro o, para un efecto aún más espectacular, utilice mitad y mitad.

Merengues

Un buen merengue debe ser ligero como el aire y al mismo tiempo crujiente, y tiene que deshacerse en la boca.

Para unas 13 unidades

INGREDIENTES

4 claras de huevo
una pizca de sal
125 g de azúcar granulado
125 g de azúcar lustre
300 ml de nata líquida espesa, ligeramente montada

1 Forre 3 bandejas de hornear con papel vegetal.

2 En un cuenco grande y limpio, bata las claras con la sal a punto de nieve duro, con unas varillas eléctricas o un batidor manual. La consistencia de unas claras bien montadas debería impedirles caer en caso de poner el cuenco boca abajo.

3 Incorpore poco a poco el azúcar granulado: en este punto, el merengue debería empezar a tener un aspecto satinado.

4 Añada el azúcar lustre gradualmente, y siga batiendo hasta incorporarlo del todo. El merengue debe quedar espeso y blanco, y formar picos altos.

5 Ponga la pasta en una manga pastelera equipada con una boquilla de 2 cm en forma de estrella. Deposite 26 pequeñas rosetas sobre las bandejas preparadas.

6 Cueza los merengues en el horno precalentado a 120 °C durante $1^1/_2$ horas, o hasta que adquieran un tono dorado pálido y se puedan levantar fácilmente del papel. Deje que se enfríen en el horno apagado toda una noche.

7 Un momento antes de servirlos, junte los merengues de dos en dos uniéndolos por la base con la nata montada, y colóquelos sobre una fuente.

VARIACIÓN

Si quiere una textura aún más delicada, sustituya el azúcar granulado por azúcar lustre.

2

3

5

Índice